ISBN : 2-86930-068-9

© Rivages, 1987
10, rue Fortia - 13001 Marseille
5-7, rue Paul-Louis-Courier - 75007 Paris

Hôtels de charme d'Espagne et du Portugal

Guide établi par
Humbert Verzenassi

Rivages

Pour la meilleure utilisation possible de ce guide, nous avons procédé à un classement par région et à l'intérieur de chaque région, à un classement alphabétique. De plus, le numéro de la page correspond au numéro de l'hôtel tel qu'il figure sur la carte et sur l'index.

Les auberges et hôtels sélectionnés, de catégories diverses, allant d'un confort simple à un grand confort, nous nous sommes attachés à ce que la lecture du texte permette toujours de situer facilement la catégorie de l'hôtel. Nous vous signalons que les prix communiqués étaient les prix en vigueur à la fin de 1986, mais en Espagne, il faut rajouter 6 % de taxe et 12 % pour les catégories de luxe.

En conséquence, les prix que nous mentionnons doivent être pris à titre tout à fait indicatif. Il vaut mieux lors de vos réservations téléphoniques, vous les faire préciser.

Enfin, il convient pour l'Espagne, de rajouter au prix de demi-pension indiqué, le prix de la chambre.

Pour obtenir votre correspondant :

- en Espagne : 19-34-indicatif de la ville* Numéro demandé.
- au Portugal : 19.351-indicatif de la ville* Numéro demandé.

Si vous êtes séduits par une auberge ou un petit hôtel qui ne figure pas dans notre guide 87 et dont vous pensez qu'il mériterait d'être sélectionné, veuillez nous le signaler afin que l'auteur de ce guide puisse s'y rendre. Si l'hôtel proposé était sélectionné, nous nous ferions un plaisir de vous adresser gratuitement le guide 1988.

_____

(*) En enlevant le 0 qui ne sert que pour les communications intérieures.

Bilbao

San Sebastián

Vitoria

Pamplona

Logroño

Huesca

CATALUÑA

Soria

Lérida

18 · Zaragoza

42 41

43 Barcelona

ARAGON

44

17

Tarragona

Sigüenza

37

45

MADRID

Madrid

59 60

58

Teruel

Cuenca

Castellón
de la Plana

35

Valencia

Albacete

Alicante

Elche

16

Murcia

Cartagena

Águilas

Almería

Sommaire

─────── *ESPAGNE* ───────

CASTILLA MANCHA

CATALUNA

EXTREMADURA

GALICIA

MADRID

——————— *PORTUGAL* ———————

ALGARVE

RIBATEJO

Hotel Oromana

Alcalá de Guadaira (Sevilla)
Avenida de Portugal
Tél. (954) 70.08.04 - Sr F. Martínez Ramírez

Ouverture toute l'année
30 chambres climatisées avec tél., s.d.b. et w.c.
Prix des chambres : 4 400 Pts (simple) - 5 500 Pts (double)
Prix du petit déjeuner et horaire : 390 Pts - à partir de 8 h
Chiens non admis
Cartes de crédit : Amex - Diners - Visa
Piscine à l'hôtel
Possibilités alentour : Tennis à 100 m

□ Restaurant : *service 13 h 30 / 15 h 30 - 20 h 30 / 23 h*
Carte
Spécialités : Gazpacho andalou - Caldo de puchero - Caldereta de
cordero - Arroz casero

A 14 km de Séville, cet hôtel conviendra bien à ceux qui désirent retrouver le soir le calme, la fraîcheur et la nature. L'hôtel Oromana est en effet situé dans un parc forestier, non loin du rio Guadaira bordé d'anciens moulins arabes. Exemple de l'architecture andalouse, il séduit dès le premier coup d'œil.
A l'intérieur, une décoration intimiste lui donne un climat de maison de famille. Toutes les chambres climatisées sont appréciables pour leur confort et leur vue sur la campagne. La grande gentillesse de l'accueil, les prix très raisonnables et les commodités du parking vous feront peut-être préférer cet hôtel.

□ Itinéraire d'accès : *à 14 km de Sevilla - dans les pinèdes d'Oromana.*

Hotel Reina Cristina

Algeciras (Cádiz)
Paseo de la Conferencia
Tél. (956) 60.26.22 - Télex 78057 - Sʳ J.A. Fernández

Ouverture toute l'année
140 chambres climatisées avec tél. direct, s.d.b., w.c. et t.v.
(15 avec minibar)
Prix des chambres : 6 400 Pts (simple) - 11 850 Pts (double)
17 000 Pts (suite)
Prix du petit déjeuner et horaire : 1 200 Pts (buffet) - 7 h 15 / 11 h
Prix demi-pension : 2 850 Pts (1 pers.)
Chiens admis
Cartes de crédit acceptées
Piscine - Tennis - Minigolf à l'hôtel
Possibilités alentour : Plages à 3 km et sports nautiques

☐ Restaurant : *service 13 h / 15 h - 19 h 30 / 22 h 30*
Menu : 1 650 Pts - Carte
Spécialités : Poissons - Espadon fumé

Cet hôtel est chargé de souvenirs. Son histoire commence en 1890 quand le gouvernement chargea une compagnie anglaise de la construction du chemin de fer Bobadilla-Gibraltar. Logé à Algeciras pendant les travaux, le directeur fut tellement séduit par la région qu'il décida d'y construire un hôtel. Cadre de la conférence d'Algeciras en 1906, repère d'espions pendant la guerre, il a aujourd'hui retrouvé toute sa sérénité.
De grands jardins plantés de palmiers et de cyprès entourent le bâtiment qui a gardé un petit côté anglais. Confortable, son principal atout reste tout de même d'être un abri dans une région très touristique.

☐ Itinéraire d'accès : *à 124 km de Cádiz - près du port.*

Parador Casa del Corregidor

11630 Arcos de la Frontera (Cádiz)
Plaza de España
Tél. (956) 70.04.60 / 70.05.00 - Sr J.C. Sánchez Gálvez

Ouverture toute l'année
24 chambres climatisées avec tél. direct, s.d.b., w.c., et minibar
Prix des chambres : 5 900 Pts (simple) - 8 500 / 9 500 Pts (double)
Prix du petit déjeuner et horaire : 600 Pts - 8 h / 11 h
Prix demi-pension et pension : 2 500 Pts - 3 740 Pts (1 pers.)
Chiens non admis
Cartes de crédit acceptées
Possibilités alentour : Piscine et tennis au village

☐ Restaurant : *service 13 h / 15 h 30 - 20 h 30 / 22 h 30*
Menu : 1 900 Pts - Carte
Spécialités : Cuisine régionale

Arcos de la Frontera s'élève au sommet d'un promontoire de granit entouré par le rio Guadaleté, au milieu d'un paysage méditerranéen de vignes, d'orangers et d'oliviers.
L'hôtel est situé dans la ville, mais grâce à sa situation, au bord de la falaise, c'est un véritable balcon avec une vue superbe. C'est une maison très ancienne, somptueusement reconstruite dans son architecture initiale. Les salons, le bar, la salle à manger et les meilleures chambres avec terrasse bénéficient du panorama.
A proximité de Jerez de la Frontera, c'est une bonne adresse pour visiter les bodegas et les caves de sherry de la région.

☐ Itinéraire d'accès : *à 65 km de Cádiz - à 32 km de Jerez de la Frontera - en face de l'Ayuntamiento (mairie).*

3

Casa Convento la Almoraima

Castellar de la Frontera (Cádiz)
Tél. (956) 69.30.02 - Sʳ R. Fernández de Bobadilla

Ouverture toute l'année
11 chambres avec tél. direct, s.d.b. et w.c.
Prix des chambres : 6 000 Pts (simple) - 8 000 Pts (double)
Prix du petit déjeuner et horaire : 450 Pts - 8 h 30/11 h 30
Prix demi-pension et pension : 2 700 Pts - 4 000 Pts (1 pers.)
Chiens admis
Carte de crédit : Visa
Piscine - Tennis - Minigolf - Chasse - Pêche et billard à l'hôtel

□ Restaurant *: Menu : 2 250 Pts*
Spécialités : Caldereta de venado - Lomo de ciervo a la sal
Cordero asado - Arroz a la Almoraima

Cet ancien couvent fondé en 1603 eut un passé quelque peu mouvementé. Après qu'au XIXᵉ s. le gouvernement espagnol mit en vente les biens des Frères, il devint une propriété privée et en 1972 la maison de chasse d'un grand bourgeois espagnol qui en fut exproprié en 1982.

C'est une atmosphère très particulière qui règne dans cette maison où tout est resté en état : les salons, les chambres d'amis, la salle à manger où l'on goûte toujours les bons plats préparés par A. Tinéo, l'ancien cuisinier de la famille.

Très bien équipée pour recevoir des hôtes, elle a une piscine, un tennis, une salle de billard et un salon de musique. Mais sont aussi à votre disposition des chevaux et Land Rover pour vous permettre de parcourir les 16 000 ha du plus grand latifundium d'Europe où vivent en liberté des daims, des cerfs, des mouflons et où l'on peut aussi pêcher et chasser. Sur le chemin de vos vacances en Andalousie une étape idéale pour vous reposer quelques jours.

□ Itinéraire d'accès *: Cádiz - N 340 - Algeciras - 12 km après prendre dir.*
Limena de la Frontera - 9 km. En face de la factoria de corcho (liège).

Parador Alcázar del Rey don Pedro

41410 Carmona (Sevilla)
Tél. (954) 14.10.10 - Sr B. Montañés Sierra

Ouverture toute l'année
59 chambres climatisées avec tél. direct, s.d.b., w.c., t.v. et minibar
Prix des chambres : 6 375 Pts (simple) - 8 500 / 9 350 Pts (double)
Prix du petit déjeuner et horaire : 600 Pts - 8 h / 11 h
Prix demi-pension et pension : 2 800 Pts - 4 250 Pts (1 pers., 2 j. mn.)
Chiens non admis
Cartes de crédit acceptées
Piscine à l'hôtel
Possibilités alentour : Tennis - Equitation - Centre sportif à Carmona

☐ Restaurant : *service 13 h 15 / 16 h - 20 h 15 / 22 h 30*
Menu : 2 200 Pts - Carte
Spécialités : Espinacas al estilo de Carmona - Lenguado frito andaluza

Carmona conserve de nombreux vestiges des civilisations romaine et arabe : un couvent mudéjar, l'alcazar, une métropole romaine qui méritent une visite.
Le parador a été construit sur les ruines de l'alcazar de Arriba dans un style hispano-mauresque. Son principal atout : une situation admirable qui lui fait dominer la petite vallée de Bétis. L'aménagement intérieur est sans grande originalité mais le patio et le salon attenant sont des lieux très agréables. Confort excellent dans les chambres mais essayer d'obtenir la chambre 12 pour sa terrasse et le panorama.
A seulement 33 km de Séville, il peut être aussi un agréable point de départ pour vos visites dans la région.

☐ Itinéraire d'accès : *à 33 km de Sevilla - N IV dir. Córdoba - dans l'alcazar.*

Alhambra Palace

18009 Granada
Peña Partida 2, 4
Tél. (958) 22.14.68 - Télex 78400 - Sr G. Elorza

Ouverture toute l'année
136 chambres climatisées avec tél. dir., s.d.b., w.c., minibar et t.v.
Prix des chambres : 7 600 Pts (simple) - 9 500 Pts (double)
13 225 Pts (suite)
Prix du petit déjeuner et horaire : 575 Pts - 7 h 30/10 h 30
Prix demi-pension et pension : 2 725 Pts - 4 300 Pts (1 pers., 2 j. mn.)
Chiens admis
Cartes de crédit acceptées

☐ Restaurant : *service 13 h/16 h - 20 h/22 h 30*
Menu : 2 250 Pts - Carte
Spécialités : Cuisine régionale

Au sommet d'une petite colline, à l'intérieur des jardins de l'Alhambra, les tours et le minaret de cet immense bâtiment dominent Grenade, offrant ainsi de ses terrasses une vue grandiose sur la ville et les neiges éternelles de la Sierra Nevada.
La décoration arabisante, les rouges et les bleus, les cuivres et les bronzes rutilants donnent parfois à l'hôtel un côté kitch, à prendre au deuxième degré.
Enfin en plus des chambres confortables on compte neuf suites luxueuses bénéficiant de ce panorama somptueux. On apprécie aussi le service dans les chambres 24 heures sur 24, la prévenance du personnel et le parking privé dans une ville où l'affluence touristique est quasi permanente. Un bon et bel hôtel.

☐ Itinéraire d'accès : *à l'intérieur des jardins de l'Alhambra.*

6

Parador San Francisco

18009 Granada
Real de l'Alhambra
Tél. (958) 22.14.40 - Sr J.A. Fernández Aladro

Ouverture toute l'année
39 chambres climatisées avec tél. direct, s.d.b., w.c. et minibar
(14 avec t.v.)
Prix des chambres : 7 800 Pts (simple) - 12 000 Pts (double)
Prix du petit déjeuner et horaire : 600 Pts - 8 h / 11 h
Prix demi-pension et pension : 2 800 Pts - 4 250 Pts (1 pers., 2 j. mn.)
Chiens non admis
Cartes de crédit acceptées

□ Restaurant : *service 13 h / 16 h*
Menu : 2 200 Pts - Carte
Spécialités : Gazpacho - Tortilla de Sacramonte
Choto a l'alpurreña - Jamón de Trevelez

Enclavé dans l'enceinte de l'Alhambra, près de l'alcazar arabe et du palais de Charles V, le parador occupe un ancien couvent franciscain fondé par les rois catholiques après la reconquête de la ville. Situé au milieu des célèbres jardins de l'Alhambra, on a une vue superbe sur ceux du Generalife, sur l'Albaicin et sur la Sierra Nevada.

Il faut se promener dans les galeries décorées de vieux meubles espagnols, dans le patio, dans la chapelle pour s'imprégner de la sérénité et de la beauté de ce lieu unique. Parfait pour la paresse, un petit salon arabe rappelle l'origine des lieux. Parfaites pour la détente les chambres monacales sont confortables (les chambres 205, 206, 207 ont des terrasses ouvrant sur le Generalife).

Vraiment un « plus » dans votre découverte de Grenade ; mais attention, 6 mois de réservation indispensable si vous voyagez en haute saison.

□ Itinéraire d'accès : *dans les jardins de l'Alhambra.*

Hotel Victoria

18005 Granada
Puerta Real, 3
Tél. (958) 25.77.00 - Télex 78427 - Sr A. Morales Ortiz

Ouverture toute l'année
69 chambres climatisées avec tél. direct, s.d.b., w.c. et t.v.
Prix des chambres : 3 900 Pts (simple) - 6 400 Pts (double)
Prix du petit déjeuner et horaire : 350 Pts - 8 h/10 h 30
Prix demi-pension et pension : 1 650 Pts - 2 350 Pts (1 pers.)
Chiens non admis
Cartes de crédit : Amex - Diners - Visa

☐ Restaurant : *service 13 h/15 h 30 - 20 h/22 h 30 - Snack*
jusqu'à 2 h
Menu : 1 300 Pts - Carte
Spécialités : Merluza à la vasca - Tortilla Sacramonte

Grenade est une ville légendaire mais c'est aussi une ville active et moderne. C'est en plein centre ville que l'hôtel Victoria déploie son charme de « bon hôtel international ». D'abord conquis par l'accueil, on apprécie le moderne très classique et les éclairages confidentiels du « salon des colonnes », l'ambiance musicale du « salon anglais » et le confortable aménagement des chambres (avec une préférence pour celle située au sommet de la coupole...)
La pâtisserie attenante étant la propriété de l'hôtel, vous serez particulièrement gâtés au petit déjeuner... A noter aussi des prix très raisonnables.

☐ Itinéraire d'accès : *centre ville - en face le Correos (poste).*

Hotel Mijas

29650 Mijas (Málaga)
Tél. (952) 48.58.00 - Télex 77393 - Sr F. Muñoz

Ouverture toute l'année
100 chambres avec tél. dir., s.d.b., w.c. (20 avec minibar,
50 avec t.v.)
Prix des chambres : 8 000 Pts (simple) - 11 600 / 13 600 Pts (double)
Prix du petit déjeuner et horaire : compris - 7 h 30 / 10 h 30
Prix demi-pension et pension : 2 800 Pts - 4 900 Pts (1 pers.)
Chiens non admis
Cartes de crédit acceptées
Piscine, tennis, health center à l'hôtel
Possibilités alentour : Equitation (2 km) - Plage (8 km) - Plusieurs
golfs (30 km environ)

☐ Restaurant : *service 13 h / 15 h 30 - 20 h / 22 h 30*
Menu - Carte
Spécialités : Cuisine régionale et internationale

Si vous craignez la foule de la très visitée Costa del Sol mais
adorez son climat qui vous permet de bronzer toute l'année,
il faut faire un saut jusqu'au village de Mijas. Là, sur les
collines, parmi les pins et les palmiers, entre Málaga et
Marbella, avec une vue imprenable sur la Méditerranée, se
trouve l'hôtel Mijas de caractère typiquement andalou et
d'esprit un peu anglais.
Les parties communes sont sobres et dotées d'un grand
confort. Les terrasses sont prometteuses de petits déjeuners
délicieux à l'ombre des oliviers et le cadre idéal pour les
dîners d'été. Le Mijas possède 100 chambres très confortables mais les suites ont les plus belles vues.
Deux belles piscines, dont une chauffée toute l'année, un
tennis et un health center complètent les attraits de cet hôtel.

☐ Itinéraire d'accès : *à 30 km de Málaga - N 340 dir. Cadiz - Fuengirola -*
prendre petite route pour Mijas.

Refugio de Juanar

29610 Ojén (Málaga)
Tél. (952) 88.10.00 / 88.10.01 - Sr J. Gómez Avila

Ouverture toute l'année
19 chambres avec tél., (15 avec s.d.b. et w.c.)
Prix des chambres : 3 300 Pts (simple) - 4 500 Pts (double)
Prix du petit déjeuner et horaire : 400 Pts - 8 h 30 / 11 h
Prix demi-pension et pension : 1 750 Pts - 3 050 Pts (1 pers.)
Chiens non admis
Cartes de crédit acceptées
Piscine et ping-pong à l'hôtel
Possibilités alentour : Promenades en montagne - Ojén, le plus
typique des villages d'Andalousie - Ronda (50 km)

□ Restaurant : *service 13 h / 16 h - 20 h / 22 h 30*
Menu : 1 450 Pts - Carte
Spécialités : Cuisine régionale - Gibier et volaille

Autrefois parador, cet hôtel a été repris par les employés. A partir d'Ojén on prend une petite route de montagne qui vous conduit dans la sierra de Ronda, grand centre de la chasse à la *capra hispanica* sans compter le petit gibier (perdrix, lapin).
C'est dans ce superbe paysage de réserve nationale que se cache cette ancienne propriété des marquis de Tarios où le roi Alfonso XIII aimait chasser.
C'est un confortable hôtel de montagne où règne une ambiance chaleureuse et où l'on sert une bonne cuisine à base de gibier.
Pour les chambres, notre favorite est la n° 3, celle où le Général de Gaulle acheva d'écrire ses mémoires !

□ Itinéraire d'accès : *à 65 km de Málaga - N 340 Marbella - C 337 Ojén - 10 km après, Refugio de Juanar.*

Palacio de los Duques
de Medina Sidonia

Sanlúcar de Barrameda (Cádiz)
Tél. (956) 36.01.61 - S^{ra} duquesa de Medina Sidonia

Ouverture toute l'année
3 chambres avec s.d.b. et w.c.
Prix des chambres : 2 200 Pts (simple) - 3 400 Pts (double)
Prix du petit déjeuner et horaire : 300 Pts - à partir de 9 h
Chiens admis
Cartes de crédit non acceptées
Possibilités alentour : Réserve naturelle - Visite de bodegas

☐ Pas de restaurant

Au cœur du vieux Sanlúcar, « le palais des Duques de Medina Sidonia », construit sur l'ancien alcazar, est toujours occupé par la même famille depuis sept siècles !
Ce superbe palais conserve une magnifique collection d'objets d'art et de vénérables archives : deux millions de documents classés par l'actuelle duchesse elle-même.
Dans une aile, un peu à l'écart, trois chambres discrètes reçoivent les voyageurs qui cherchent un endroit « différent ». Ici on utilise le salon et la salle à manger de la maison, on trouve des boissons dans le réfrigérateur de la cuisine, et dans les armoires du bon café, du thé et des biscuits. Les chambres sont faites dans un esprit un peu naïf mais au réveil vous aurez droit à un délicieux petit déjeuner avec confitures et pâtisseries maison. Il faut vous promener dans les jardins, dévaler les pentes sous les palmiers pour découvrir au détour d'une allée une porte gothique ou un arc *mudéjar* de l'alcazar... charme garanti.

☐ Itinéraire d'accès : *Séville - E 25 - Jerez de la Frontera - C 440 - Sanlúcar - suivre fléchage palais ducal.*

Posada de Palacio

Sanlúcar de Barrameda (Cadiz)
Calle Caballeros, 11
Fam. Navarrete

Ouverture toute l'année
8 chambres (3 chambres avec s.d.b. et w.c.)
Prix des chambres : 1 500 Pts (simple) - 3 000/3 500 Pts (double)
5 000 Pts (suite 4 pers.)
Prix du petit déjeuner et horaire : 300 Pts - 8 h 30/12 h
Chiens admis
Carte de crédit : Visa
Possibilités alentour : Réserve naturelle - Visite de bodegas
□ Pas de restaurant

Sanlúcar de Barrameda est une ville aristocratique. Ses églises et ses excellentes caves, sans compter les très belles demeures, ont fait sa réputation. L'une d'elles a été aménagée avec beaucoup d'amour et de goût en *posada* par un jeune couple fort sympathique, respectueux de l'architecture originale de la maison.
On est tout de suite conquis par le patio et on se sent bien dans les chambres toujours chaleureuses bien que de confort inégal. La meilleure, paradoxalement est celle du rez-de-chaussée avec une grande fenêtre sur la rue.
Et puisque c'est une région de caves, il y a bien entendu un bar avec quelques tables dans la cour blanche et fleurie.

□ Itinéraire d'accès : *Séville - E 25 - Jerez de la Frontera - C 440 - Sanlúcar.*

Hotel Alfonso XIII

41004 Sevilla
San Fernando, 2
Tél. (954) 22.28.50 - Télex 72725 - Sʳ M. Martínez Cornejo

Ouverture toute l'année
149 chambres climatisées avec tél. dir., s.d.b., w.c., minibar et t.v.
Prix des chambres : 16 000 Pts (simple) - 22 000 Pts (double)
40 000 Pts (suite)
Prix du petit déjeuner et horaire : 1 100 Pts - 7 h / 12 h
Prix demi-pension et pension : 4 400 Pts - 6 000 Pts (1 pers.)
Chiens non admis
Piscine à l'hôtel
Parking

☐ Restaurant : *service 13 h / 15 h 30 - 20 h 30 / 23 h 30*
Menu : 3 000 Pts - Carte
Spécialités : Poissons - Cuisine régionale et internationale

L'Alfonso XIII fut construit pour accueillir les visiteurs de marque de l'Exposition hispano-américaine de 1929. Il est resté depuis lors un luxueux palace lié à l'histoire même de Séville.

Oeuvre de l'architecte Espinau-Muñoz qui s'attacha à ce que l'œuvre représentât bien la ville, il conçut donc l'hôtel comme un grand palais hispano-mauresque. Le bâtiment s'ordonne autour d'un grand patio central entouré d'une galerie vitrée où des arcs se déploient au-dessus de colonnes de marbre blanc. Les jardins plantés d'une végétation tropicale entourent les quatre façades du palais.

De somptueux salons se succèdent en enfilade. Quant aux chambres, elles sont parfaites, mais nous préférons celles donnant sur le jardin. Un des grands palaces européens.

☐ Itinéraire d'accès : *à côté de la cathédrale et de l'alcazar.*

Hotel Doña Maria

41004 Sevilla
Don Remondo, 19
Tél. (954) 22.49.90 - Sr J.M. Rodríguez Andrade

Ouverture toute l'année
61 chambres avec tél. direct, s.d.b., w.c. et t.v.
Prix des chambres : 7 000 Pts (simple) - 9 900 Pts (double)
10 900 Pts (suite). (Pendant la semaine sainte et féria augmentation)
Prix du petit déjeuner et horaire : 450 Pts - 8 h/11 h
Chiens non admis
Cartes de crédit acceptées
Piscine en terrasse à l'hôtel

☐ Pas de restaurant

Situé au cœur de la ville, l'hôtel Doña Maria est de construction récente. Néanmoins les arcades de l'architecture intérieure, les fers forgés, les meubles anciens et le ravissant patio où poussent d'exubérantes plantes exotiques lui donnent un caractère très andalou.

Les chambres toutes personnalisées sont belles, mais la chambre 310, toute blanche avec dentelles et lit à baldaquin, a eu notre préférence car elle a aussi un balcon ouvrant sur la place, les orangers et la cathédrale.

Mais le luxe suprême de cet hôtel c'est la piscine, construite sur les toits, avec la tour de la Giralda qui surgit, là, à quelques mètres. Une des meilleures adresses de Séville.

☐ Itinéraire d'accès : *à côté de la cathédrale, face à la Giralda.*

14

Hotel Simon

41001 Sevilla
Garcia de Vinuesa, 19
Tél. (954) 22.66.60 - Sr F. Agüayo

Ouverture toute l'année
48 chambres avec tél. (25 avec s.d.b. et w.c.)
Prix des chambres : 2 200/3 000 Pts (sple) - 3 200/4 200 Pts (dble)
Prix du petit déjeuner et horaire : 175 Pts - 8 h/10 h 30
Prix demi-pension et pension : 1 075 Pts - 1 550 Pts (1 pers., 2 j. mn.)
Chiens admis
Cartes de crédit : Amex - Diners - Visa

☐ Restaurant : *service 13 h/15 h - 20 h 30/22 h*
Menu : 900 Pts
Spécialités : Cuisine maison sévillane

Très bien situé, puisque à quelques pas de la Giralda, de l'Alcazar et du quartier de Santa Cruz, l'hôtel occupe une maison typiquement sévillane (fin XVIIIe, XIXe s.) adaptée aux exigences d'un hôtel mais qui garde néanmoins tout son cachet.
La salle à manger, le salon et les chambres, cossus, sont d'un luxe un peu baroque : murs en faïences, lustres à pampilles, tableaux religieux, miroirs en bois doré...
Le patio aménagé en salon est un endroit très frais : une fontaine entourée de fougères laissant surgir un buste romantique lui donne un côté charmant.
Sa situation, son bon rapport qualité prix dans une ville si touristique en font une adresse précieuse.

☐ Itinéraire d'accès : *près de la cathédrale.*

Parador Condestable Dávalos

23400 Ubeda (Jaén)
Plaza Vásquez de Molina, 1
Tél. (953) 75.03.45 - Sʳ J.M. Ronda Arauzo

Ouverture toute l'année
26 chambres climatisées avec tél. direct, s.d.b., w.c. et minibar
Prix des chambres : 6 400 Pts (simple) - 8 000 Pts (double)
9 500 Pts (suite)
Prix du petit déjeuner et horaire : 600 Pts - 8 h / 10 h 30
Prix demi-pension et pension : 2 500 Pts - 3 740 Pts (1 pers., 2 j. mn.)
Chiens non admis
Cartes de crédit acceptées
Possibilités alentour : Piscine et tennis en ville - Jaén à 57 km

☐ Restaurant : *service 13 h / 16 h - 21 h / 23 h*
Menu : 1 900 Pts - Carte
Spécialités : Andrajos - Ensalada de perdiz - Grachas

Ce palace du XVIᵉ s. étend sa longue façade de style gréco-romain dans la partie historique de la ville où rivalisent en beauté de nombreux monuments de l'époque de la Renaissance.
Rénové au XVIIIᵉ, il fut aménagé en hôtel en 1942. De longues galeries vitrées, un patio de rêve où l'été on tend un vélum pour pouvoir prendre des rafraîchissements, des chambres avec une vue de carte postale. Bref, un charme fou !
A signaler : la suite sur la façade qui fait l'angle, (très belle pour un prix raisonnable) et une taverne au sous-sol qui fera le bonheur des amateurs de bons vins.

☐ Itinéraire d'accès : *à 142 km de Granada - à 27 km de Linares - à côté de l'église de Salvador et de l'Ayuntamiento (mairie).*

Hotel Monasterio de Piedra

50210 Nuévalos (Zaragoza)
Tél. (976) 84.90.11 - Sʳ J. Adradas

Ouverture toute l'année
61 chambres avec tél. direct, s.d.b. et w.c.
Prix des chambres : 3 500 Pts (simple) - 5 000 Pts (double)
Prix du petit déjeuner et horaire : 325/550 Pts - 8 h/10 h 30
Prix demi-pension et pension : 1 350 Pts - 2 200 Pts (1 pers.)
Chiens admis
Cartes de crédit : Amex - Diners - Visa
Piscine et tennis à l'hôtel - Chasse, pêche dans la propriété
Possibilités alentour : Point de départ de nombreuses excursions

☐ Restaurant : *service 13 h/16 h 30 - 21 h/22 h 30*
Menu : 1 250 Pts - Carte
Spécialités : Cuisine aragonaise

C'est un endroit étonnant que cette oasis fraîche, verdoyante qui surgit en pleine Meseta, région sèche et rude entourée de sierras escarpées.

C'est qu'ici le génie de l'homme s'est associé au génie de la nature. Fondé au XIIᵉ s. par des moines cirsterciens, le monastère remarquablement bien conservé est d'une grande beauté : à noter par exemple l'escalier monumental éclairé de fenêtres en albâtre translucide qui diffuse une lumière de rêve. Les chambres simples, aménagées dans les anciennes cellules monacales,sont desservies par de longues galeries voûtées : quelques-unes ont des terrasses, certaines sont disposées autour du cloître, d'autres enfin entourent la cour d'entrée où est planté un orme de 1681. Ne pas quitter l'hôtel sans avoir visité les autres parties du couvent et sans vous être promené dans les 6 km² de forêts qui regorgent de lacs, de cascades et de grottes.

☐ Itinéraire d'accès : *à 225 km de Madrid - N 2 - à Calatayud ou à Alhama de Aragon suivre fléchage pour Monasterio de Piedra.*

Gran Hotel

50001 Zaragoza
Calle Costa, 5
Tél. (976) 22.19.01 - Télex 58010 - Sr J. Félix Vidosa Villar

Ouverture toute l'année
140 chambres climatisées avec tél. direct, s.d.b., w.c., t.v.
et minibar
Prix des chambres : 7 400 Pts (simple) - 9 500 Pts (double)
Prix du petit déjeuner et horaire : 550 Pts (buffet) - 7 h / 11 h
Prix demi-pension et pension : 2 550 Pts - 3 865 Pts
Chiens non admis
Parking
Cartes de crédit : Amex - Diners - MasterCard - Visa
Possibilités alentour : Piscine - Tennis - Equitation

☐ Restaurant : *service 13 h / 15 h 30 - 21 h / 23 h*
Menu : 2 000 Pts - Carte
Spécialités : Cuisine régionale et internationale

Inauguré en 1929 par le roi Alfonso XIII et récemment restauré, cet hôtel a su garder un ton, une atmosphère et un raffinement très agréables dans une ville où les établissements de caractère font cruellement défaut. L'ambiance plutôt luxueuse n'est pas du tout guindée. Le grand salon rond, installé sous une verrière, est un bon exemple de l'élégance de la décoration. Les chambres spacieuses, d'un grand confort, sont décorées avec goût et dotées de salles de bains fonctionnelles et très soignées. Si vous le désirez vous pourrez avoir la suite où le roi Juan Carlos habitait lorsqu'il était élève à l'Académie militaire de Zaragoza.
Un bon accueil, un excellent rapport qualité prix, un parking privé sont encore d'autres raisons de préférer cet hôtel situé en plein centre ville.

☐ Itinéraire d'accès : *près de la plaza del Dragón.*

Hôtel de la Reconquista

33004 Oviedo
Calle Gil de Jaz, 16
Tél. (985) 24.11.00 - Télex 84328 - Sʳ R. Felip

Ouverture toute l'année
141 chambres avec tél. direct, s.d.b. w.c., minibar et t.v.
Prix des chambres : 8 500/9 600 Pts (simple) - 12 000 Pts (double)
25 000 Pts (suite)
Prix du petit déjeuner : 700 Pts
Prix demi-pension et pension : 3 700 Pts - 5 600 Pts (1 pers., 2 j. mn.)
Chiens non admis
Cartes de crédit acceptées
Sauna et coiffeur à l'hôtel
Possibilités alentour : Cavadonga - les lacs des Picos de Europa

☐ Restaurant : *service 13 h 30/16 h - 21 h/23 h 30*
Menu : 3 000 Pts - Carte - Cafétéria (7 h à 1 h)
Spécialités : Fabada asturiana - Merluza a la cidra

Cet ancien hospice-hôpital fut construit au XVIIIᵉ s. par le célèbre architecte P.A. Menendez. Le bâtiment, qui ne comporte qu'un seul étage, est surmonté en son milieu d'un superbe blason de l'Espagne, remarquable exemple de sculpture baroque.
Après avoir traversé le porche, on se trouve dans un grand salon rectangulaire éclairé par une verrière. Tout autour court une mezzanine qui s'appuie sur une double colonnade en pierre.
L'hôtel offre un équipement extraordinaire : un gymnase, un sauna, des salles de conférence mais aussi une salle de concert aménagée dans la très belle chapelle, de plan octogonal avec deux étages de tribunes superposées. Devenu un luxueux hôtel de la chaîne Ciga, c'est dire que les chambres et le service sont à la hauteur d'un vrai palace.

☐ Itinéraire d'accès : *Centre ville - près du parc San Francisco.*

Hotel Altamira

39330 Santillana del Mar (Santander)
Tél. (942) 81.80.25/81.83.09 - Sʳ D. Oceja Bujan

Ouverture toute l'année
31 chambres avec tél. direct, s.d.b. et w.c.
Prix des chambres : 3 500 Pts (simple) - 4 200 Pts (double)
6 000 Pts (avec salon)
Prix du petit déjeuner et horaire : 325 Pts - 8 h/11 h
Prix demi-pension et pension : 3 375 Pts - 3 990 Pts (prix avec
chambre double inclus, par pers., 2 jours min.)
Petits chiens admis
Cartes de crédit acceptées
Possibilités alentour : Plages de Cóbreces et Suances - Grottes
d'Altamira - Comillas - Picos de Europa - Golf à 30 km

☐ Restaurant : *service 13 h 15/16 h - 20 h 15/23 h*
Menu : 950 Pts - Carte - Snack
Spécialités : Viandes et poissons grillés - Cuisine régionale

Santillana, ville médiévale, classée monument historique, conserve un bel ensemble de demeures et de palais qui arborent encore les armes des chevaliers et des hidalgos qui y vécurent. L'Altamira est l'un des hôtels qui occupent aujourd'hui une de ces maisons seigneuriales.
Le palais des Valdeveso, reconstruit au début du XIXᵉ, est un hôtel simple mais de bon goût. Décoration sobre et rustique dans les salons et les deux restaurants dont un ne propose que des spécialités régionales. Dans l'enchevêtrement des escaliers et des demi-niveaux on trouve des coins lecture, des salles pour la télévision...
Les chambres offrent un bon confort mais celles du dernier étage sont plus petites et n'ont qu'une douche.
Une terrasse agréable où il fait bon prendre un verre. Une bonne adresse.
☐ Itinéraire d'accès : *à 31 km de Santander - N 611 - 26 km Barreda -*
C 6316 dir Comillas - 6 km Santillana.

Parador Gil Blas

39330 Santillana del Mar (Santander)
Plaza Ramón Pelayo, 8
Tél. (942) 81.80.00 - Sʳ J.M. Garralda Iribarren

Ouverture toute l'année
28 chambres dont 1 suite avec terrasse avec tél. direct, s.d.b., w.c.,
t.v. et minibar
Prix des chambres : 7 600 Pts (simple) - 9 500 Pts (double)
10 500 Pts (suite)
Prix du petit déjeuner et horaire : 600 Pts - 8 h / 11 h
Prix demi-pension et pension : 2 800 Pts - 4 250 Pts (1 pers.)
Chiens admis
Cartes de crédit acceptées
Possibilités alentour : Plages de Cóbreces et Suances - Golf
30 km - Grottes d'Altamira - Comillas à 17 km - Picos de Europa

☐ Restaurant : *service 13 h / 16 h - 20 h 30 / 22 h 30*
Menu : 2 200 Pts - Carte
Spécialités : Poissons - Viandes grillés - Cuisine régionale

Situé sur la place du village, l'hôtel occupe la très ancienne et
imposante maison de la famille Barreda-Bracho.
L'architecture intérieure de la maison est typique de celle de
la région : de simples colonnes de bois structurent le grand
volume des pièces, les sols sont soit en galets, soit en parquets
de grosses lattes cirées.
A chaque étage un grand salon précède le couloir qui mène
aux chambres qui sont éblouissantes : lit à colonnes de style
espagnol et partout un très beau choix de meubles, d'objets et
de tableaux. Toutefois, une mention spéciale pour la
chambre 222 qui a une terrasse panoramique sur les toits du
village et la campagne.
Enfin, on apprécie le calme dans cette région où la proximité
des grottes d'Altamira attire de nombreux touristes.

☐ Itinéraire d'accès : *à 31 km de Santander - N 611 - 26 km Barreda -*
C 6316 dir Comillas - 6 km Santillana.

Hotel Los Infantes

39330 Santillana del Mar (Santander)
Avenida le Dorat, 1
Tél. (942) 81.81.00 - Sr G. Mesones Canales

Ouverture toute l'année
30 chambres avec tél., s.d.b. et w.c.
Prix des chambres : 4 500 Pts (simple) - 6 100/8 000 Pts (double)
Prix du petit déjeuner et horaire : 350 Pts - 8 h/10 h 30
Prix demi-pension et pension : 1 600 Pts - 2 500 Pts
Chiens non admis
Cartes de crédit : Amex - Diners - Visa
Possibilités alentour : Plages de Cóbreces et Suances
Grottes d'Altamira - Comillas - Picos de Europa
Golf (30 km)
☐ Restaurant : *service 13 h/15 h 30 - 20 h/23 h*
Menu : 1 300 Pts - Carte
Spécialités : Cocido montañes - Solonillo al queso - Quesadas et
lechefritas

Los Infantes occupe l'ancienne maison des Caldéron dont la
façade porte encore les armoiries.
Dès l'entrée, on perçoit l'atmosphère d'intimité qui règne
dans l'hôtel où tout a été conçu pour que le voyageur se sente
un peu comme chez lui. Au rez-de-chaussée une réception
accueillante et une salle à manger qui s'organise autour d'une
cheminée.
Au 1er étage un salon « bourré » de charme. Même esprit
dans les chambres, mais nos favorites sont celles situées sur
la façade principale, plus spatieuses et dont deux possèdent
un petit salon.
Bonne cuisine régionale, accueil cordial et une discothèque
qui ne devrait cependant pas gêner les pensionnaires.

☐ Itinéraire d'accès : *à 31 km de Santander - N 611 - Barreda - C 6316*
dir Comillas - 6 km Santillana.

Hotel Santillana

39330 Santillana del Mar
El Cruce
Tél. (942) 81.80.11 - Sr G. Mesones Canales

Ouverture toute l'année
40 chambres avec tél. direct, s.d.b., et w.c.
Prix des chambres : 3 500 Pts (simple) - 4 500 Pts (double)
Prix du petit déjeuner et horaire : 3 000 Pts - 8 h / 10 h 30
Prix demi-pension et pension : 1 500 Pts - 2 400 Pts (1 pers.)
Chiens non admis
Cartes de crédit acceptées
Possibilités alentour : Plages de Cóbreces et Suances
Grottes d'Altamira - Comillas - Picos de Europa
Golf (30 km)

☐ Restaurant : *service 13 h / 16 h - 20 h / 23 h*
Menu : 1 200 Pts
Spécialités : Cuisine régionale

Appartenant au même propriétaire que « Los Infantes » cet hôtel est situé au croisement des chemins d'Altamira et de Santander.
Il a fait peau neuve depuis peu de temps et affiche au rez-de-chaussée un petit air très « dans le coup ». A l'étage par contre on retrouve les meubles anciens, les parquets cirés et les lits en fonte et en cuivre. Les chambres ont un charme suranné mais ont toutes de bonnes installations sanitaires.
Jeune et sympathique, le personnel dispense un accueil très chaleureux.

☐ Itinéraire d'accès : *à 31 km de Santander - N 611 - Barreda - C 6316 dir. Comillas - 6 km Santillana.*

Palacio Valderrábanos

05001 Avila
Plaza de la Catédral, 9
Tél. (918) 21.10.23 - Télex 22481 - Sr T. Beltrán Ramirez

Ouverture toute l'année
73 chambres dont 3 suites avec tél. direct, s.d.b., w.c. et t.v.
Prix des chambres : 4 400 Pts (simple) - 7 000 Pts (double)
11 000 Pts (suite)
Prix du petit déjeuner et horaire : 450 Pts - à partir de 8 h
Prix demi-pension et pension : 2 050 Pts - 3 100 Pts
Chiens admis
Cartes de crédit : Amex - Diners - Visa
Possibilités alentour : Piscine - Tennis - Equitation en ville - Pêche
Chasse - Sports nautiques - Golf dans un rayon de 50 km

☐ Restaurant : *service 13 h/16 h - 20 h 30/23 h*
Menu : 1 600 Pts - Carte
Spécialités : Asados - Cuisine castillane

Avila est une très belle ville, enceinte dans une impressionnante muraille du XIe s., dont les remparts et 88 tours
entourent encore la moitié de la ville.
Le palais Valderrábanos-Davila se trouve près de la
cathédrale. Son austère façade met en valeur le portail de
granit du XVIe s. qui porte encore les armoiries des deux très
nobles familles qui l'habitèrent.
A l'intérieur règne une ambiance feutrée. Les chambres sont
toutes confortables mais nous vous conseillons la suite en
duplex installée dans la tour ou encore la chambre 126 dont
le balcon donne sur la cathédrale.
Excellent accueil.

☐ Itinéraire d'accès : *à 111 km de Madrid - à 99 km de Salamanca - à*
64 km de Ségovia.

24

Parador Raimundo de Borgoña

05001 Avila
Marqués de Canales de Chozas, 16
Tél. (918) 21.13.40 - Sr A. Piñuela Otero

Ouverture toute l'année
62 chambres climatisées avec tél. direct, s.d.b., w.c. et minibar
Prix des chambres : 4 200 Pts (simple) - 7 500/8 000 Pts (double)
8 500 Pts (suite)
Prix du petit déjeuner et horaire : 600 Pts - 8 h/11 h
Prix demi-pension et pension : 2 500 Pts - 3 740 Pts (1 pers.)
Cartes de crédit acceptées
Possibilités alentour : Piscine - Tennis - Équitation en ville - Pêche
Chasse - Golf - Ski (50 km)

☐ Restaurant : *service 13 h/16 h - 20 h 30/23 h*
Menu : 1 900 Pts - Carte
Spécialités : Judías del barco - Cochinillo asado - Cuisine castillane

Ce parador porte le nom de celui qui reconquit, repeupla et reconstruisit Avila, la dotant de sa fantastique muraille, qui comme une immense couronne encercle l'ancienne « ville des chevaliers ».
L'hôtel construit sur les restes du palais de Benavides conserve certaines parties originales : une de ses façades, adossée à l'enceinte, forme un des côtés de la place, à laquelle on accède par une des neuf portes de la ville, la Puerta del Carmen.
Cet emplacement idéal est le principal atout de cet hôtel qui par ailleurs a un décor un peu standardisé. Ceci étant, rien à dire sur les chambres, toutes confortables et bien équipées. On cherchera bien sûr à occuper celles donnant sur la place.

☐ Itinéraire d'accès : *à 111 km de Madrid - à 64 km de Ségovie - à l'intérieur des murailles.*

25

Parador
Rey Fernando II de León

49600 Benavente (Zamora)
Tél. (988) 63.03.00 - S^ra C. Lechusa Arribas

Ouverture toute l'année
30 chambres avec tél. direct, s.d.b., w.c. et minibar
Prix des chambres : 6 000 Pts (simple) - 7 500 Pts (double)
8 250 Pts (suite)
Prix du petit déjeuner et horaire : 600 Pts - 8 h / 10 h 30-11 h
Prix demi-pension et pension : 2 040 Pts - 3 570 Pts (1 pers., 2 j. mn)
Chiens non admis
Cartes de crédit acceptées
Possibilités alentour : Piscine - Tennis au village - Baignades en
rivière - Zamora (65 km) - Villalpando (30 km)

☐ Restaurant : *service 13 h / 16 h - 20 h 30 / 23 h*
Menu : 1 900 Pts - Carte
Spécialités : Mouton - Morue - Desserts

Construit au XIIe s., ce château fut la résidence du roi
Fernando de León qui y installa sa cour en 1176.
Mais après avoir traversé tant de siècles il fut pratiquement
détruit lors d'une bataille où s'affrontèrent Anglais et
Français. Il n'en reste aujourd'hui que l'imposante « Torre
del Caracol ». Pour y installer le parador il a donc fallu
construire une aile pour les chambres et une pour la salle à
manger et la réception. Dans la tour on a installé le salon,
dont l'élément décoratif essentiel est le superbe plafond
mudéjar en bois marqueté. Dans le salon de télévision, on a
eu la bonne idée de faire une mosaïque avec les morceaux de
céramiques trouvés sur place.
Outre le confort on apprécie les terrasses qui offrent un beau
panorama sur la campagne.

☐ Itinéraire d'accès : *à 69 km de León - à 65 km de Zamora.*

Landa Palacio

09000 Burgos
Tél. (947) 20.63.43 - Télex 39534 - Sr M. Victoria Landa

Ouverture toute l'année
42 chambres climatisées dont 9 suites avec tél. direct, s.d.b. et w.c.
Prix des chambres : 9 500 Pts (simple) - 12 000 Pts(double)
13 500 / 17 500 Pts (suite)
Prix du petit déjeuner et horaire : 720 Pts - 8 h / 12 h
Prix demi-pension et pension : 4 670 Pts - 7 200 Pts (1 pers.)
Chiens admis avec supplément
Carte de crédit : Visa
Piscine à l'hôtel

☐ Restaurant : *service 13 h / 15 h 30 - 21 h / 23 h 30*
Menu : 3 900 Pts - Carte
Spécialités : Cordero asado - Olla podrida - Poissons

Propriétaire d'un restaurant à Madrid, M. Landa acheta il y a une trentaine d'années cette tour militaire du XIVᵉ s. Il la fit démonter et reconstruire pierre par pierre à 20 km de son lieu d'origine. Après lui avoir rajouté deux ailes, l'hôtel ouvrait ses portes en 1964.
L'hôtel est très confortable, très luxueux, très raffiné et abrite de surcroît de très charmantes collections : une collection d'attelages dans la cour, de mouvements d'horloges de parquet, de fers à repasser, d'outils, de balances...
Le service, l'équipement des chambres sont parfaits mais si vous voulez du très grand luxe choisissez la suite royale.
Pour plus de calme, prendre les chambres qui donnent sur la campagne et la piscine. Celle-ci est hollywoodienne, en partie couverte d'un toit de voûtes gothiques !

☐ Itinéraire d'accès : *à 3 km de Burgos, sur la route de Madrid.*

Parador
Enrique II de Trastamara

37500 Ciudad Rodrigo (Salamanca)
Plaza del Castillo, 1
Tél. (923) 46.01.50 - Sr A. Aliste López

Ouverture toute l'année
27 chambres avec tél., s.d.b., w.c. et minibar
Prix des chambres : 8 000 Pts (double)
Prix du petit déjeuner et horaire : 600 Pts - 8 h / 10 h 30
Prix demi-pension et pension : 2 500 Pts - 3 740 Pts (1 pers., 2 j. mn)
Chiens admis
Cartes de crédit : Amex - Diners - Visa
Possibilités alentour : Piscine - Tennis - Centre sportif
☐ Restaurant : *service 13 h / 16 h - 20 h 30 / 23 h*
Menu : 1 900 Pts - Carte
Spécialités : Cochinillo asado - Cordero y cabrito asados - Huevos
fritos con farinato

Ciudad Rodrigo est une ville fortifiée du XIIe s. construite sur ordre de Fernando II. Le château-alcazar qui abrite le parador est dans le centre de la ville, sur les rives de l'Agueda. Comme beaucoup de ces châteaux, le côté austère et sévère est nuancé par de beaux jardins fleuris.
Les meilleures chambres sont celles qui, comme le salon et la salle à manger, ont la vue sur la rivière et sur la ville. Ciudad Rodriguo, classé monument historique, mérite le détour.

☐ Itinéraire d'accès : *à 89 km de Salamanca - N 620 dir. Portugal - Ciudad Rodrigo.*

Hotel Arlanza

Covarrubias (Burgos)
Tél. (947) 40.30.25 - Sr J.J. Ortiz

Ouverture du 15 mars au 15 décembre
38 chambres dont 2 suites avec tél., s.d.b. et w.c.
Prix des chambres : 4 200/4 600 Pts (double)
Prix du petit déjeuner et horaire : 350 Pts - 8 h/10 h 30
Chiens admis
Cartes de crédit acceptées
Possibilités alentour : Baignade en rivière - Pêche - Chasse
Promenades pédestres

□ Restaurant : *service 13 h/16 h - 20 h 30/23 h*
Menu : 1 200 Pts - Carte
Spécialités : Sopa serrana - Cordero asado - Postre médieval -
Cuisine régionale

Simple, sans prétention, cet hôtel mérite d'être sélectionné pour son superbe emplacement : il domine la place de Covarrubias qui est un beau village castillan.
L'hôtel, installé dans une ancienne maison de notables, a été restauré dans un style rustique et l'intérieur réaménagé avec un souci de sobriété ; les chambres mériteraient d'ailleurs un décor plus gai.
C'est pourquoi nous préférons celles qui donnent sur la façade car plus grandes et jouissant du spectacle de la place. Pas de cuisine sophistiquée mais de bons plats maison à base de produits du terroir.

□ Itinéraire d'accès : *à 39 km de Burgos - N 234 - Cuevas de San Clemente - petite route Covarrubias.*

Parador Hostal San Marcos

24001 León
Plaza San Marcos, 7
Tél. (987) 23.73.00 - Télex 98087 - Sʳ C. Alvarez Montoto

Ouverture toute l'année
258 chambres climatisées avec tél. direct, s.d.b., w.c. et t.v.
Prix des chambres : 6 750 Pts (simple) - 10 750 Pts (double)
14 000 / 25 000 Pts (suite)
Prix du petit déjeuner et horaire : 600 Pts (buffet)- 7 h 45 / 11 h 30
Prix demi-pension et pension : 2 900 Pts - 4 420 Pts (1 pers.)
Chiens non admis
Cartes de crédit acceptées
Possibilités alentour : Piscine - Tennis - Equitation - Pêche - Chasse
Lac à 30 km - Ski à 50 km - Grottes

☐ *Restaurant : service 13 h 30 / 16 h - 21 h / 24 h*
Menu : 2 300 Pts - Carte
Spécialités : Truites farcies « Hostal » - Cecina - Jambon de pays

Non, ce n'est pas l'entrée d'un musée mais bien celle de l'hôtel San Marcos. Monument historique, l'ancien couvent Santiaguista est l'orgueil de la province de León. Sa façade est un bel exemple du style plateresque (appelé ainsi pour sa ressemblance avec le travail en argenterie).
A l'intérieur, à la massive et grandiose architecture du cloître qui entoure le jardin, s'oppose la grâce des arcs de la galerie supérieure où des tables sont installées. Un très beau salon occupe l'ancienne salle capitulaire dont le plafond mudéjar est étonnant.
Un confort sans égal est présent dans toutes les chambres. Naturellement, on préfèrera celles du corps principal, l'annexe ayant beaucoup moins de charme. Un service impeccable et une grande amabilité sont encore les qualités de cet hôtel de classe.

☐ *Itinéraire d'accès : à 323 km de Madrid - N 6 - Benavente - N 630 - León.*

Hotel Santa María de El Paular

28740 Rascafría (Madrid)
Tél. (91) 869.32.00 - Sr E. González Otero

Ouverture toute l'année
58 chambres avec tél. direct, s.d.b., w.c. et t.v.
Prix des chambres : 5 000 Pts (simple) - 12 000 Pts (double)
15 500 Pts (suite)
Prix du petit déjeuner et horaire : 1 050 Pts - 8 h / 11 h
Prix demi-pension et pension : 4 050 Pts - 5 990 Pts (1 pers., 3 j. mn)
Chiens non admis
Cartes de crédit : Amex - Diners - Visa
Piscine - Tennis et billard à l'hôtel
Possibilités alentour : Promenades en forêt - Ski à 15 km

☐ *Restaurant : service 13 h 30 / 16 h - 21 h / 23 h 30*
Menu : 3 000 Pts - Carte
Spécialités : Viandes - Cuisine castillane

Au pied de la Sierra de Guadarrama, au bord de la rivière Lozoya et à peine à 85 km de Madrid, nous voici dans le site très pittoresque de Santa-María del Paular.
Bien que classé monument historique cet ancien monastère des chartreux de 1390 fut abandonné. Ce n'est qu'en 1948 qu'une partie devint un parador, et en 1952 que les moines bénédictins s'installèrent dans le couvent redonnant vie à ce bel ensemble.
En franchissant le grand portail qui rappelle un arc de triomphe on accède au patio de l'Ave María entouré d'une colonnade qui soutient le bâtiment de brique rouge. A l'intérieur, même sobriété, même bon goût. Derrière, un jardin conduit vers la piscine et le tennis.

☐ *Itinéraire d'accès : à 85 km de Madrid - N 1 - au km 69 C 604 - Rascafría.*

Hotel Tres Coronas de Silos

Santo Domingo de Silos (Burgos)
Tél. (947) 38.07.27 / 38.00.25 - Sr Emeterio Martín García

Ouverture toute l'année
16 chambres avec tél. direct, s.d.b. et w.c.
Prix des chambres : 2 600 Pts (simple) - 4 800 / 5 200 Pts (double)
Prix du petit déjeuner et horaire : 475 Pts - 9 h / 11 h
Prix demi-pension et pension : 2 000 Pts - 3 000 Pts (1 pers.)
Chiens admis
Cartes de crédit : MasterCard - Visa
Possibilités alentour : Piscine à 2 km

☐ Restaurant : *service 13 h 30 / 15 h 30 - 20 h 30 / 22 h 30*
Menu : 1 200 Pts - Carte
Spécialités : Cuisine régionale « maison »

Santo Domingo de Silos est un très beau et très authentique village castillan, célèbre pour son couvent datant du VIᵉ s. (à signaler le très beau cloître où tous les jours on peut écouter des chants grégoriens).
Face à la place principale et à l'église, une grosse maison du XVIIIᵉ s., restaurée par les artisans locaux est devenue cet hôtel intime et familial. Une charmante salle à manger où se trouve un grand four à bois permet de déguster une cuisine régionale maison. En haut d'un bel escalier en bois, des chambres adorables et douillettes s'accordent au style castillan de toute la demeure. L'accueil est sympathique et décontracté.
Si vous ne trouvez pas l'hôtel, demandez la « Casa Grande » : c'est ainsi qu'ont coutume de l'appeler les gens du village.

☐ Itinéraire d'accès : *à 58 km de Burgos - N 234 - Salas - Hacinas - Prendre la petite route pour Santo-Domingo.*

Parador Condes de Alba y Aliste

49014 Zamora
Plaza de Cánovas, 1
Tél. (988) 51.44.97 - Sʳᵃ P. Pelegrín Gracia

Ouverture toute l'année
27 chambres avec tél. direct, s.d.b., w.c. et minibar
Prix du petit déjeuner et horaire : 700 Pts - 8 h / 10 h 30
Prix demi-pension : 2 600 Pts (1 pers., 2 jours min.)
Chiens admis
Cartes de crédit acceptées
Piscine à l'hôtel
Possibilités alentour : Benavente (65 km) - Arcenillas (6 km) - Tennis

☐ Restaurant : *service 13 h / 16 h - 20 h 30 / 23 h*
Menu : 1 900 Pts - Carte
Spécialités : Cabrito asado - Presas de Ternera - Pucherete del Duero

Ce palais du XVᵉ s. se trouve au cœur même de Zamora, à la frontière du vieux quartier. En grande partie détruit lors de la révolte des *comuneros* du XVIᵉ s., il fut restauré par les condes d'Alba y Aliste, puis devint au XVIIIᵉ s. un hôpital. Il en reste aujourd'hui le magnifique cloître Renaissance, une double galerie, le balcon et le grand escalier monumental au pied duquel on peut admirer une superbe armure.
Salons et salle à manger se suivent en enfilade jusqu'au jardin et la piscine. Les chambres sont très bien agencées mais la suite, face à la place, mérite une mention spéciale pour son confort et son prix raisonnable. Un personnel amical, une directrice charmante feront tout pour que votre séjour soit un des bons moments de votre voyage.

☐ Itinéraire d'accès : *à 250 km de Madrid - N 4 - Tordesillas N 122 - Zamora.*

Parador de Almagro

13270 Almagro (Ciudad Real)
Ronda de San Francisco
Tél. (926) 86.01.00 - Sr J. Muñoz Romero

Ouverture toute l'année
55 chambres climatisées avec tél., s.d.b., w.c. et minibar
Prix des chambres : 6 000 Pts (simple) - 7 500 Pts (double)
11 570 Pts (suite)
Prix du petit déjeuner et horaire : 600 Pts - 8 h / 10 h 30
Prix demi-pension et pension : 2 500 Pts - 3 740 Pts (1 pers.)
Chiens admis
Cartes de crédit : Amex - Diners - Visa
Piscine à l'hôtel
Possibilités alentour : Chasse - Parc naturel national de Lagunas de
Ruidera

□ Restaurant : *service 13 h 30/16 h - 20 h 30/22 h 30*
Menu : 1 900 Pts - Carte
Spécialités : Cuisine régionale (pisto manchego, le mojete, les migas,
les aubergines)

Almagro, qui s'élève dans la vaste plaine de la Mancha, est
une étape importante sur la route de Cervantes, la ville des
dentelles, le centre de l'ordre de Calatrava.
Elle est intéressante aussi pour sa Plaza Mayor qui est un vrai
joyau avec ses grandes verrières ininterrompues et le Corral
de Comedias, le seul théâtre du Siglo de Oro conservé.
Le parador, édifié sur l'ancien couvent de San Francisco
(1596), ne compte pas moins de 16 patios avec galeries où les
fleurs et les fontaines s'unissent pour créer un climat
magique. Les terres cuites, les faïences sont souvent utilisées
dans la décoration des jolies chambres et de la superbe cave
qui jouxte le bar. L'hôtel, situé en plein centre ville, a un
parking privé et un très bon service.

□ Itinéraire d'accès : *à 22 km de Ciudad Réal - de Madrid N 4 - Puerto*
Lapice - N 420 - Daimiel - C 417 - Almagro.

Posada de San José

16001 Cuenca
Tél. (966) 21.13.00 - S^{ra} J. Morter

Ouverture toute l'année
25 chambres (16 avec s.d.b. et w.c.)
Prix des chambres : 1 400/2 200 Pts (sple) - 2 400/3 900 Pts (dble)
Prix du petit déjeuner et horaire : 250 Pts - 8 h / 11 h
Chiens non admis
Cartes de crédit : Diners - Visa
Possibilités alentour : Tennis - Piscine - Equitation au village

☐ Pas de restaurant (Bar avec tapas)

Cuenca est une ville célèbre depuis le XIVe s. pour ses maisons suspendues au-dessus des gorges de Júcar, et plus récemment pour son musée d'art moderne.
La posada occupe l'ancienne demeure du peintre Martinez del Mazo. Elle est aujourd'hui cet hôtel plein de charme qui offre une vue magnifique sur les falaises et les jardins potagers. On aime cet hôtel pour sa simplicité. Les chambres sont d'un confort inégal mais toutes sont imprégnées de la même atmosphère de maison bien tenue : mobilier et tomettes bien cirés, rideaux cousus par les lingères de Cuenca, nappes et draps de coton...
Celles qui ont des salles de bains ont toutes une belle vue et les chambres 15, 21, 32 et 33 ont de surcroît une terrasse.
Un beau jardin, un bon accueil sont encore des raisons pour choisir cette posada qui affiche en plus des prix très raisonnables.

☐ Itinéraire d'accès : *à 163 km au S.E. de Madrid - Casco Antiguo près de la cathédrale.*

Parador Virrey Toledo

45560 Oropesa (Toledo)
Plaza del Palacio, 1
Tél. (925) 43.00.00 - Sʳ S. Fuentes

Ouverture toute l'année
44 chambres climatisées avec tél. direct, s.d.b., w.c. et minibar
Prix des chambres : 5 600 Pts (simple) - 7 000 Pts (double)
10 100 Pts (suite)
Prix du petit déjeuner et horaire : 600 Pts - 8 h / 10 h 30
Prix demi-pension et pension : 2 500 Pts - 3 740 Pts (1 pers., 2 j. mn.)
Chiens non admis
Cartes de crédit acceptées
Possibilités alentour : Piscine et tennis à 2 km - Pêche - Chasse -
Sports nautiques - Promenades à cheval week-end ou plus - Les
ateliers de céramique Talavera de la Reina (32 km)

☐ Restaurant : *service 13 h / 16 h - 21 h / 23 h*
Menu : 1 900 Pts - Carte
Spécialités : Gibier - Poissons - Cuisine castillane

Le parador Virrey Toledo occupe le château d'Oropesa. Les divers bâtiments du palais (XIVᵉ, XVᵉ et XVIᵉ s.) constituent un véritable répertoire de l'histoire de cette ville. Devenu parador en 1930, comme beaucoup de monuments historiques réutilisés, il offre un confort moderne parfaitement intégré.
Dès l'arrivée la cour vous séduit avec sa double galerie de balcons abondamment fleuris. L'intérieur est plus sobre, plus majestueux, à l'image de l'architecture extérieure. Situé sur une des collines dominant la Sierra de la Ventosilla on a de l'hôtel, et notamment des chambres situées au dernier étage, une très belle vue sur les sommets enneigés de la Sierra de Gredos. Excellent accueil.

☐ Itinéraire d'accès : *à 149 km de Madrid - N 5 - Oropesa.*

Parador Castillo de Sigüenza

19003 Sigüenza (Guadalajara)
Tél. (911) 39.01.00 - Sr A. Embiz Fabregas

Ouverture toute l'année
77 chambres avec tél. direct, s.d.b., w.c. (50 avec minibar)
Prix des chambres : 7 500/8 500 Pts (double)
Prix du petit déjeuner et horaire : 600 Pts - 8 h/10 h 30
Prix demi-pension et pension : 2 500 Pts - 3 740 Pts
Chiens non admis
Cartes de crédit acceptées
Possibilités alentour : Piscine - Tennis - Pelota vasca - Athlétisme - à
Sigüenza la cathédrale fortifiée (une des plus belles d'Espagne) - La
plaza Mayor - L'Ayuntamiento

☐ Restaurant : *service 13 h 30/16 h - 20 h 30/22 h 30*
Menu : 1 900 Pts - Carte
Spécialités : Cuisines régionales espagnoles

Au sommet de la ville de Sigüenza, qui s'élève en terrasses à flanc de collines, se dresse l'imposante forteresse mauresque devenue palais épiscopal puis parador.
Les travaux de restauration et de reconstruction s'attachèrent à respecter les proportions de cet énorme quadrilatère de 7 000 m2.
Pour adoucir l'austérité de l'architecture, on a aménagé des cours et des jardins. Deux salles immenses abritent le salon et la salle à manger meublés d'un sobre mobilier castillan. Les chambres, quelles soient côté cour ou côté vallée, sont toutes confortables, certaines ont des terrasses avec chaises longues. De la grande cour carrée, on a une belle vue sur les toits roses et ocres de Sigüenza et l'on devine le dédale des petites rues.

☐ Itinéraire d'accès : *à 129 km N.E. de Madrid - à 70 km de Guadalajara - N 2 - à la hauteur du km 104 : C 204 - Sigüenza.*

Hostal del Cardenal

45004 Toledo
Paseo de Recaredo, 24
Tél. (925) 22.49.00 - Sr J. González-Martín

Ouverture toute l'année
27 chambres avec tél. direct, s.d.b. et w.c.
Prix des chambres : 3 600 Pts (simple) - 5 900 Pts (double)
14 400 Pts (suite)
Prix du petit déjeuner et horaire : 325 Pst - 7 h 15/11 h
Chiens admis
Cartes de crédit : Amex - Diners

□ Restaurant : *service 13 h/16 h - 20 h 30/23 h 30*
Menu : 1 600 Pts - Carte
Spécialités : Produits de chasse - Grillades - Cuisine castillane

A Tolède on peut préférer se loger à l'Hostal del Cardenal pour de multiples raisons.
Pour sa situation : au cœur de la cité impériale, face à la Puerta de Bisagra, un des joyaux de Tolède.
Pour son emplacement : dans un palais tolédan du XVIIIe s., ancienne résidence d'été du cardinal Lorenzana, archevêque de la ville.
Pour le calme de ses jardins mauresques où l'on n'entend que le chant des oiseaux et des fontaines.
Pour son confort, sa bonne cuisine, ses dîners l'été dans les jardins et pour une dernière promenade du soir sur le chemin de ronde du mur d'enceinte du XIe s...

□ Itinéraire d'accès : *à 70 km de Madrid - près de la porte de Bisagra.*

38

Hotel La Almazara

45080 Toledo
Carretera de Piedrabuena
Tél. (925) 223.866 - Sr P. Villamor

Ouverture du 15 mars au 5 novembre
21 chambres avec tél., s.d.b. et w.c.
Prix des chambres : 2 700 Pts (simple) - 4 000/4 500 Pts (double)
Prix du petit déjeuner et horaire : 325 Pst - 8 h/11h
Chiens non admis
Carte de crédit : Visa
Possibilités alentour : Aranjuez - Orgaz

☐ Pas de restaurant

Protégé par 500 ha d'oliviers, de chênes et de genévriers, cet hôtel fut l'ancienne maison de villégiature du cardinal Quiroza au 16e s.
C'est le plus vieil hôtel de la ville et il apparaît déjà sur le tableau du Greco : *Vue générale de Tolède.*
Les chambres, simples, sont cependant très gaies avec des salles de bains flambant neuf. Les chambres 1 à 9 ont en plus des terrasses avec une vue éblouissante.
Les abords campagnards, la douceur de la lumière font de cet endroit un véritable havre que l'on retrouve avec satisfaction après les fatigantes visites dans Tolède ou dans les environs.

☐ Itinéraire d'accès : *à 70 km de Madrid - route de Cuerva : 3,5 km - Aire de Cigarrales.*

Parador Conde de Orgaz

45000 Toledo
Paseo de los Cigarrales
Tél. (925) 22.18.50 - Télex 47998 - Sr F. Molina Aranda

Ouverture toute l'année
77 chambres avec tél. direct, s.d.b. w.c., minibar
(30 avec t.v.)
Prix des chambres : 4 700 Pts (simple) - 8 500 / 10 000 Pts (double)
Prix du petit déjeuner et horaire : 600 Pts - 8 h / 10 h 30
Prix demi-pension et pension : 2 800 Pts - 4 250 Pts (1 pers., 2 j. mn)
Chiens non admis
Cartes de crédit : Amex - Diners - Visa
Piscine à l'hôtel
Possibilités alentour : Talavera de la Reina - Illescas - Aranjuez
Orgaz

☐ Restaurant : *service 13 h / 16 h - 20 h 30 / 23 h*
Menu : 2 200 Pts - Carte
Spécialités : Produits de la chasse - Cuisine régionale

Le parador, qui a pris son nom au célèbre tableau du Greco *l'Enterrement du Comte d'Orgaz,* est situé sur la colline de l'Empereur, dans le quartier privilégié des Cigarrales, qui domine Tolède et offre une vue inégalable entre les ponts d'Alcántara et de S. Martin. Cette remarquable situation a conditionné l'aménagement des bâtiments.
De caractère nettement tolédan, l'hôtel, très confortable et climatisé, possède aussi une piscine, deux atouts majeurs si l'on visite Tolède en été.

☐ Itinéraire d'accès : *à 70 km de Madrid - face à la ville, sur l'autre rive du Tajo.*

Hotel Colón

08002 Barcelona
Avenida de la Catedral, 7
Tél. (93) 301.14.04 - Télex 52654 - Sr E. Gretz

Ouverture toute l'année
200 chambres climatisées avec tél. direct, s.d.b., w.c. et t.v.
Prix des chambres : 5 175 Pts (simple) - 9 175/16 175 Pts (double)
Prix du petit déjeuner et horaire : 450 Pts - 7 h/12 h
Chiens admis
Cartes de crédit acceptées
☐ Restaurant : *service 13 h/15 h - 20 h 30/23 h*
Menu : 2 125 Pts - Carte
Spécialités : Cuisine catalane - Paëlla Colón - Cuisine internationale

Ambiance feutrée dans cet hôtel qui possède un emplacement hors pair : au cœur du quartier gothique, en face de la cathédrale du XIIIe s. Des salons et un bar très agréables à retrouver le soir. Les chambres sont très soignées mais on s'arrache celles du dernier étage agrémentées de superbes terrasses.
Avec les Ramblas à quelques pas c'est le point idéal à Barcelone !

☐ Itinéraire d'accès : *face à la cathédrale.*

Hotel Condes de Barcelona

08008 Barcelona
Paseo de Gracia, 75
Tél. (93) 215.06.16 - Télex 51531 - Sr M. Paradela

Ouverture toute l'année
100 chambres climatisées avec tél. direct, s.d.b., w.c., t.v., vidéo et minibar
Prix des chambres : 8 760 Pts / 10 680 (simple) - 12 960 / 14 760 Pts (double) - 28 000 Pts (suite 2 pers.) - 16 200 Pts (junior suite)
Prix du petit déjeuner et horaire : 750 Pts - 7 h / 11 h
Chiens non admis
Cartes de crédit acceptées

☐ Restaurant : *service 13 h / 16 h - 20 h 30 / 23 h*
Menu : 2 000 Pts - Carte
Spécialités : Cuisine catalane et internationale

A quelques mètres de la célèbre maison de Gaudi, « La Pedrera », s'élevait une autre maison Art Nouveau « La Casa Batllo ».
Récemment reconvertie en hôtel quatre étoiles ultra moderne, c'est la nouvelle bonne adresse de Barcelone : architecture intérieure très épurée, meubles modernes noirs, éclairage halogène, un cadre très raffiné pour une clientèle sélecte qui se presse dans les salons et au bar.
Quelle que soit l'exposition des chambres, elles sont parfaites : celles sur cour donnent en fait sur une belle terrasse et les jardins des maisons avoisinantes, les chambres sur rue sont très bien isolées du bruit.
Très mode et un brin sophistiqué, l'accueil n'en est pas pour autant prétentieux.
Nous vous recommandons les suites Gaudi ou Barcelona.

☐ Itinéraire d'accès : *Plaza Cataluña prendre Paseo de Gracia.*

Hotel Ritz

08010 Barcelona
Gran Vía de les Corts Catalancs, 668
Tél. (93) 318.52.00 - Télex 52739 - Sr A. Jordán

Ouverture toute l'année
161 chambres dont 6 suites avec tél. direct, s.d.b., w.c., t.v.
et minibar
Prix des chambres : 11 000/20 000 Pts (simple)
16 500/25 000 Pts (double) - 40 000/75 000 Pts (suite)
Prix du petit déjeuner et horaire : 1 250 Pts - 7 h/11 h
Prix demi-pension et pension : 5 000 Pts - 9 500/23 200 Pts (1 pers.)
Chiens non admis
Cartes de crédit acceptées
□ Restaurant : *service 13 h/15 h 30 - 20 h 30/23 h*
Menu et carte
Spécialités : Butifarras del Ampurdan - Samón de pato - Cazuela de
arroz con mariscos - Cuisine catalane et internationale

Depuis son inauguration en 1919, le temps n'a pas terni son prestige. Ritz oblige. Le bâtiment et ses intérieurs ont beaucoup d'allure ; dès l'entrée l'escalier à double évolution, le hall principal, l'attention qu'on vous réserve ne trompent pas : vous êtes dans un authentique palace.
Les chambres sont plus impersonnelles et bien que toutes soient très confortables, certaines mériteraient un peu plus de soin.
Le restaurant de l'hôtel sert une cuisine internationale mais propose tous les jours une bonne variété de plats catalans. La terrasse du petit jardin intérieur est aussi très agréable pour prendre un verre. Une visite au bar du sous-sol s'impose.

□ Itinéraire d'accès : *près de la plaza Cataluña.*

Gran Hotel Rey don Jaime

08860 Castelldefelds (Barcelona)
Tél. (93) 665.13.00 - Télex 50151 - S^{ra} M. Pons

Ouverture toute l'année
91 chambres avec tél. direct, s.d.b., w.c. t.v. et minibar (15 climatisées)
Prix des chambres : 8 000 Pts (simple) - 12 000 Pts (double)
Prix du petit déjeuner et horaire : 600 Pts - 7 h 30/10 h 30
Prix demi-pension et pension : 10 500/17 000 Pts
12 000/20 000 Pts (avec la chambre)
Chiens admis
Cartes de crédit acceptées
Piscine et tennis à l'hôtel
Possibilités alentour : Plages - Equitation (2 km) - Golf (9 km)

☐ Restaurant : *service 13 h 30/15 h 30 - 20 h 30/22 h 30*
Menu : 2 500 Pts - Carte
Spécialités : Paëlla - Cuisine nationale et internationale

Le gran hotel Rey don Jaime se trouve tout à côté de la tour Barona du XIIe s., qui avec le château dominait l'ancienne ville Castrum de Fels, l'actuel Castelldefelds. Situé sur une petite colline il permet d'avoir une jolie vue sur la *gran playa* de Barcelona.
L'hôtel est d'un très bon standing et le confort règne en maître dans tout l'établissement. Les chambres sont vastes et certaines bénéficient d'une terrasse. Un jardin très ombragé, une jolie piscine construite autour de la tour, le calme que lui assure son emplacement, la proximité de Barcelone en font un lieu de séjour idéal sur cette Costa Brava surpeuplée en été.

☐ Itinéraire d'accès : *à 20 km de Barcelona - C 245 - Torre Barona.*

Parador Castillo de la Zuda

43500 Tortosa (Tarragona)
Tél. (977) 44.44.50 - Sr M. Estéban Hernández

Ouverture toute l'année
82 chambres avec tél., s.d.b., w.c. (25 avec minibar)
Prix des chambres : 5 600 Pts (simple) - 7 000 Pts (double)
8 800 Pts (suite)
Prix du petit déjeuner et horaire : 600 Pts - 8 h / 10 h 30
Prix demi-pension et pension : 2 500 Pts - 3 740 Pts (1 pers., 2 j. mn.)
Chiens non admis
Cartes de crédit acceptées
Piscine à l'hôtel
Possibilités alentour : Plages à 22 km - Chasse et pêche dans le delta
de l'Ebre - Promenades en montagne - la belle ville de Morella

☐ Restaurant : *service 13 h / 15 h - 20 h / 22 h*
Menu : 1 900 Pts - Carte
Spécialités : Anguille et alevins d'anguille - Canard - Poissons de
rivière et de mer - Cuisses de grenouilles

Le château de la Zuda tire son nom du puits qui, selon les Arabes, fut construit dans l'enceinte en 944 et que l'on peut encore voir aujourd'hui.

Histoire tumultueuse pour cette ancienne villa romaine, tour à tour forteresse arabe, prison au XIIe s., résidence royale avant d'être cédée au Temple.

A l'intérieur, la salle à manger conserve quatre grandes fenêtres et trois cheminées, témoignages de ce passé.

Les chambres ont des terrasses qui donnent sur un beau panorama. Mais c'est de la piscine qu'on a la plus belle vue sur Tortosa et la fertile vallée de l'Ebre avec en toile de fond les montagnes de Tortosa et de Beceite, grande réserve de chasse.

☐ Itinéraire d'accès : *à 83 km de Tarragona*

Parador Carlos V

Jarandilla de la Vera (Cáceres)
Tél. (927) 56.01.17 - Sr E. Comino Aguilar

Ouverture toute l'année
53 chambres climatisées avec tél. direct, s.d.b., w.c., minibar et t.v.
Prix des chambres : 6 000 Pts (simple) - 7 500 Pts (double)
Prix du petit déjeuner et horaire : 600 Pts - 8 h / 11 h
Prix demi-pension et pension : 2 500 Pts - 3 740 Pts (1 pers., 2 j. mn.)
Chiens non admis
Cartes de crédit acceptées
Piscine et tennis à l'hôtel
Possibilités alentour : Excursions en montagne - Sports nautiques en
lac artificiel (40 km) - Monastère de Yusté (12 km)

☐ Restaurant : *service 13 h / 16 h - 21 h / 23 h*
Menu : 1 900 Pts - Carte
Spécialités : Caldereta - Migas - Viandes - Cuisine régionale

Au nord de l'Extremadure, dans le paysage sauvage de la Vera se dresse ce château des XIVe et XVe s. L'édifice, très bien conservé, possède encore le beau mur d'enceinte, les élégantes tours d'angle et le pont-levis.
Le bâtiment est construit autour d'un patio fleuri dont une des façades se compose de deux galeries à arcades et d'un balcon en pierre ouvragé de style oriental.
C'est ici que Charles V séjourna avant de se retirer au monastère de Yusté. La salle à manger occupe le rez-de-chaussée. Au 1er étage, le salon s'ouvre sur le balcon qui domine le patio. Le mobilier est simple, mais les plafonds à caissons, le volume des pièces, les lustres, les médaillons et les trophées restituent l'esprit château.
Les chambres sont parfaites et confortables.

☐ Itinéraire d'accès : *à 216 km de Madrid - N 5 - Navalmoral de la Mata - Départementale pour Jarandilla.*

Hospedería del Real Monasterio

10140 Guadalupe (Cáceres)
Plaza Juan Carlos, 1
Tél. (927) 36.70.00 - C^d Franciscana - Fray J.L. Barrera

*Ouverture du 12 février au 11 janvier
40 chambres avec tél. direct, s.d.b., w.c., minibar et t.v.
Prix des chambres : 2 860 Pts (simple) - 3 575/3 850 Pts (double)
11 500 Pts (suite - 4 pers.)
Prix du petit déjeuner et horaire : 300 Pts - 8 h 30/11 h
Prix demi-pension et pension : 1 800 Pts - 2 800 Pts (1 pers.)
Chiens admis
Cartes de crédit : Eurocard - MasterCard - Visa
Possibilités alentour : Piscine et tennis au village - Promenades*

☐ Restaurant : *service 13 h 30/15 h 45 - 21 h/22 h 45
Menu : 1 200 Pts - Carte*
*Spécialités : Migas extremeñas - Soupe de tomate - Caldereta de
cabrito*

Impressionnant et grandiose ensemble guerrier et monacal, ce monastère fut un important centre culturel.
La communauté franciscaine qui l'occupe aujourd'hui a décidé d'ouvrir un hôtel dans une des parties du monastère. Depuis le hall, on a une très belle vue sur l'un des coins les plus enchanteurs de l'édifice : « les Caidos ». Salons, salles à manger et de grandes chambres se répartissent ensuite autour du cloître, petit chef-d'œuvre gothique, sur lequel l'été on tire un vélum.
Bien sûr, la visite du monastère s'impose : la façade sur la place de la ville, le cloître mudéjar et l'église qui conserve une impressionnante collection d'œuvres d'art dont plusieurs tableaux de Zurbarán dans la sacristie sont exceptionnels.

☐ Itinéraire d'accès : *à 129 km de Madrid - N 5 Oropesa.*

47

Parador Zurbarán

10140 Guadalupe (Cáceres)
Tél. (927) 36.70.75 - Sr M. Arias

Ouverture toute l'année
40 chambres avec tél. direct, s.d.b., w.c. et minibar
Prix des chambres : 6 000 Pts (simple) - 7 500 Pts (double)
Prix du petit déjeuner et horaire : 600 Pts - 8 h / 10 h 30
Prix demi-pension et pension : 2 500 Pts - 3 740 Pts (1 pers.)
Chiens admis
Cartes de crédit acceptées
Piscine et tennis à l'hôtel
Possibilités alentour : Chasse - Pêche (50 km) - Promenades

☐ Restaurant : *service 13 h / 16 h - 21 h / 23 h*
Menu : 1 900 Pts - Carte
Spécialités : Cabrito asado - Gazpacho extremeño - Bacalao
monacal - Caldereta de cordero

Guadalupe fut un important centre de pèlerinage. Aujourd'hui le grandiose monastère, les Zurbarán et le musée qui conserve entre autres une très belle collection de dentelles méritent qu'on s'y arrête.
L'ancien hôpital St-Jean-Baptiste du XVIe s., où est installé l'hôtel, n'a certainement pas le cachet du monastère mais son aménagement intérieur a plus de charme. Les salons et la salle à manger se déploient ici encore autour du patio dont les arcades sont envahies d'orangers. L'été on déjeune à l'ombre de la galerie. Les chambres sont très joliment décorées mais il est préférable de demander celles du nouveau bâtiment qui ont la vue sur les montagnes, le village et l'incroyable monastère situé juste en face. Sur l'arrière, au milieu d'un jardin très fleuri, se trouve la piscine très appréciable en été.

☐ Itinéraire d'accès : *à 129 km de Madrid - N 5 Oropesa.*

Parador Vía de la Plata

06800 Mérida (Badajoz)
Plaza de la Constitucion, 3
Tél. (924) 31.38.00/31.38.11 - Sr J.C. Morales Lavería

Ouverture toute l'année
44 chambres avec tél. direct, s.d.b., w.c. et minibar
Prix des chambres : 8 500 Pts (double)
Prix du petit déjeuner et horaire : 600 Pts - 7 h 30/11 h
Prix demi-pension et pension : 2 500 Pts - 3 740 Pts (1 pers., 2 j. mn.)
Chiens non admis
Cartes de crédit : Amex - Diners - Visa
Possibilités alentour : Piscine - Tennis - Equitation en ville - Sports
nautiques sur lac à 7 km

☐ *Restaurant : service 13 h/16 h - 20 h 30/23 h*
Menu : 1 900 Pts - Carte
Spécialités : Gazpacho extremeño - Migas - Revuelto de trigreros
Caldereta de cordero

Mérida est un important centre touristique où l'on vient voir les nombreux vestiges romains, wisigoths et arabes.

Le parador est installé dans un ancien couvent, lui-même construit sur les ruines d'un temple romain et qui connut diverses fortunes jusqu'à être une prison... mais n'ayez aucune crainte, aucune trace ne subsiste de cette ancienne attribution.

Deux grands salons, dont un dans la chapelle, une salle à manger, de très belles chambres ont été aménagés avec toujours la traditionnelle cour intérieure.

Il y a aussi un ravissant jardin décoré de sculptures romaines mises à jour lors des travaux.

☐ Itinéraire d'accès : *à 70 km de Cáceres - N 630 Mérida.*

49

Parador de Trujillo

23003 Trujillo (Cáceres)
Plaza de Santa Clara
Tél. (927) 32.13.50

Ouverture toute l'année
46 chambres climatisées avec tél. direct, s.d.b., w.c. et minibar
Prix des chambres : 6 000 Pts (simple) - 7 500 Pts (double)
Prix demi-pension et pension : 1 870 Pts - 3 740 Pts (1 pers.)
Chiens non admis
Cartes de crédit acceptées
Piscine à l'hôtel
Possibilités alentour : Baignades au lac à 30 km

☐ Restaurant : *service 13 h/16 h - 21 h/23 h*
Menu : 1 900 Pts - Carte
Spécialités : Cuisine régionale - Tenca - Cordero asado

Trujillo, berceau des conquistadors comme le rappelle sur la Plaza Mayor la statue équestre de F. Pizarro, est une belle ville aux nombreux monuments médiévaux et Renaissance. Le Parador occupe l'ancien couvent fondé au XVIe s. par l'ordre de l'Immaculée Conception.
Construit autour d'une cour, le cloître planté d'orangers a trois façades de style Renaissance avec des arcatures surmontées d'une galerie aux colonnettes toscanes.
La décoration intérieure est un peu impersonnelle surtout dans les chambres qui cependant ne manquent pas de confort. Certaines ont des terrasses entièrement couvertes de treillis, façon traditionnelle, dans cette région, de se protéger de la chaleur. L'hôtel est climatisé et possède une piscine.

☐ Itinéraire d'accès : *à 47 km de Cáceres - N 521 - Trujillo - le parador se trouve dans la partie bassse de la ville.*

Parador Hermán Cortés

06300 Zafra (Badajoz)
Plaza Corazón de Maria, 7
Tél. (924) 55.02.00 - Sr E. García Catalan

Ouverture toute l'année
28 chambres avec tél. direct, s.d.b. et w.c.
Prix des chambres : 3 300/4 600 Pts (simple) - 7 000 Pts (double)
Prix du petit déjeuner et horaire : 600 Pts - 8 h/11 h
Prix demi-pension et pension : 2 500 Pts - 3 740 Pts (1 pers., 2 j. mn.)
Chiens non admis
Cartes de crédit acceptées
Piscine à l'hôtel
Possibilités alentour : Tennis au village - Pêche et chasse

☐ Restaurant : service 13 h/16 h - 20 h 30/23 h
Menu : 1 900 Pts - Carte
Spécialités : Caldereta extremeña de cordero - Cuisine régionale

Le parador est installé dans l'alcazar, un des plus imposants palais fortifiés d'Extremadure. Il doit son nom au séjour qu'y fit Cortés avant son départ pour le Nouveau Monde. Le château, de plan carré, a quatre tours massives et cylindriques aux angles. Contrastant avec l'aspect fortifié de l'extérieur, on trouve à l'intérieur une cour de style Renaissance avec des galeries de colonnes de marbre blanc travaillé, attribuées à S. de Herrera, architecte de l'Escurial. Une décoration chic et confortable laisse parler les volumes et l'architecture : à noter le riche plafond à caissons de la Sala Dorada ou la belle coupole octogonale dorée et peinte. Derrière, au pied d'une des tours, une grande piscine a un côté un peu insolite mais bien agréable dans une région qui jouit d'une longue et belle arrière-saison.

☐ *Itinéraire d'accès : à 147 km de Sévilla - à 58 km de Mérida - jusqu'au croisement Badajoz - Córdoba (N 432) - dir. Zafra.*

Parador Conde de Gondomar

36300 Bayona (Pontevedra)
Tél. (986) 35.50.00 - Sr J. Cárdenas

Ouverture toute l'année
128 chambres avec tél. direct, s.d.b., w.c. et minibar (20 avec t.v.)
Prix des chambres : 5 900 Pts (simple) - 7 500 / 10 500 Pts (double)
15 000 Pts (suite)
Prix du petit déjeuner et horaire : 600 Pts - 8 h / 10 h 30
Prix demi-pension et pension : 2 800 Pts - 4 250 Pts (1 pers.)
Chiens admis
Cartes de crédit acceptées
Piscine et tennis à l'hôtel
Possibilités alentour : Club de voile - Sports nautiques à quelques
mètres - Plages

☐ Restaurant : *service 13 h 30 / 16 h - 20 h 30 / 23 h 30*
Menu : 2 200 Pts - Carte
Spécialités : Grillades de poissons - Fruits de mer - Empanadas

L'hôtel se dresse comme un incomparable mirador sur la presqu'île de Monte-Réal, entouré d'une muraille antérieure à la colonisation romaine. C'est d'ici qu'on vit arriver *la Pinta* avec à bord les premiers Indiens d'Amérique.
Sa taille est impressionnante ainsi que ses espaces et ses installations (5 salons, 3 salles à manger). Les chambres sont très complètes. Ses 18 ha de terrain et ses 3 km de muraille le protègent du va et vient touristique. Ses installations sportives permettent éventuellement de ne pas sortir de l'hôtel qui convient bien à des vacances familiales.

☐ Itinéraire d'accès : *à 20 km de Vigo - route de la Guardia.*

Gran Hotel de la Toja

36991 Isla de la Toja (Pontevedra)
Tél. (986) 73.00.25 - Télex 88042 - Sr A. Franco
Ouverture toute l'année
201 chambres dont 19 suites avec tél. direct, s.d.b., w.c. et t.v.
Prix des chambres : 11 350 Pts (simple) - 15 100 Pts (double)
19 500 Pts (suite)
ˋPrix du petit déjeuner et horaire : compris - à partir de 7 h
Prix demi-pension et pension : 13 800 Pts - 15 400 / 23 200 Pts
(1 pers.)
Chiens non admis
Cartes de crédit acceptées
Piscine - Tennis - Tir au pigeon - Health club à l'hôtel
Possibilités alentour : Equitation 6 km - Golf de la Toja
☐ Restaurant : *service 13 h / 15 h 30 - 21 h / 23 h*
Menu : 2 500 Pts - Carte - Snack
Spécialités : Poissons - Fruits de mer - Cuisine régionale et
internationale - Bonne cave

Il y a les « hôtels de la plage » et les « palaces de la côte ».
L'hôtel de la Toja est bien un « palace de la côte ». Jouissant
d'une situation privilégiée sur une petite île de la Ria de
Arosa, il possède tous les atouts d'un grand hôtel : plage
privée, pinède, piscine, tennis, golf au bord de la mer...
Les parties communes sont aménagées luxueusement : de
grands salons d'apparat, mais aussi un bar plus intime, une
salle à manger accueillante et des chambres très confortables
qui ont cependant plus de charme dans la partie ancienne du
bâtiment. Un casino, des thermes à proximité même de
l'hôtel, voilà qui devrait en combler plus d'un !

☐ Itinéraire d'accès : *à 73 km de Santiago - N 550 Puente Cesures -*
suivre fléchage pour la Toja - l'hôtel se trouve dans l'île.

Parador Casa del Barón

36002 Pontevedra
Calle Maceda
Tél. (986) 85.58.00 - Sᵣ J. Basso Puga

Ouverture toute l'année
47 chambres avec tél. direct, s.d.b., w.c. et minibar (8 avec t.v.)
Prix des chambres : 6 000 Pts (simple) - 7 500 Pts (double)
8 300 Pts (suite)
Prix du petit déjeuner et horaire : 600 Pts - 8 h / 11 h
Prix demi-pension et pension : 2 500 Pts - 3 740 Pts (1 pers., 2 j. mn)
Chiens non admis
Cartes de crédit acceptées
Possibilités alentour : Plages à 3 km - Equitation à 20 km - Chasse
Pêche

☐ Restaurant : *service 13 h / 16 h - 21 h / 23 h 30*
Menu : 1 900 Pts - Carte
Spécialités : Pulpo - Vieiras (coquilles St-Jacques) - Poissons
Empanadas - Lacon

Le parador Casa del Barón occupe le *pazo* de Maceda. Les *pazos*, anciens manoirs galiciens, abandonnèrent le caractère militaire des châteaux moyenâgeux pour s'inspirer de l'architecture monastique et rurale.

Lorsqu'en 1955 celui-ci devint un hôtel, on s'attacha à conserver et à restituer le style de cet ancien *pazo* ; en témoigne la curieuse cuisine (aujourd'hui un salon) et l'élégant escalier de l'entrée. Les autres pièces de la maison sont aussi très agréables : la salle à manger ouvre sur la terrasse et le jardin abondamment fleuri ; quant aux chambres, elles sont très raffinées. La Casa del Barón est située dans le *barrio* ancien de Pontevedra, un très bel endroit dans cette ville dont les abords sont assez décevants.

☐ Itinéraire d'accès : *à 57 km de Santiago - N 550 dir Vigo - dans la partie ancienne de la ville.*

Hotel de Los Reyes Católicos

Santiago de Compostela (La Coruña)
Plaza de España, 1
Tél. (981) 58.22.00 - Sr E. Martín Manzanas

Ouverture toute l'année
157 chambres dont 3 suites avec tél. direct, s.d.b., w.c. et t.v.
Prix des chambres : 6 750/11 200 Pts (simple) - 8 350/14 000 Pts
(double) - 26 700 Pts (suite)
Prix du petit déjeuner et horaire : 600 Pts - 7 h/11 h
Prix demi-pension et pension : 3 250 Pts - 4 930 Pts (1 pers., 2 j. mn)
Chiens non admis
Cartes de crédit acceptées
Possibilités alentour : Chasse et pêche dans la région

☐ Restaurant : *service 13 h/15 h 30 - 21 h/23 h 30*
Menu : 2 650 Pts - Carte
Spécialités : Lubina al horno jacobeo - Fideos gordos con almejas
Lacon con grelos

C'est en 1499 que les rois catholiques, Isabel et Fernando, créèrent cet hôpital royal pour héberger les pèlerins. Situé sur la très belle plaza del Obradorio, il reste aujourd'hui le témoignage d'une époque où l'histoire et la religion, l'art et la culture étaient intimement mêlés. Aujourd'hui les touristes ont remplacé les « marcheurs » sur la route de St-Jacques. Ce parador est un des meilleurs hôtels d'Espagne. Le cadre est grandiose : on ne citera que la façade et l'entrée de style plateresque, les quatre patios cloîtrés des XVIe et XVIIe s. et les anciennes écuries occupées aujourd'hui par la salle à manger. Les chambres sont exquises : les chambres 201, 202 et 204 ; la « suite du Cardinal » et la « suite royale » donnent sur la place. Le service est celui d'un grand hôtel, attentif et discret.

☐ Itinéraire d'accès : *face à la cathédrale.*

Parador San Telmo

36700 Tuy (Pontevedra)
Tél. (986) 60.03.00 - Sr E.J. Arévalo García

Ouverture toute l'année
22 chambres dont 1 suite avec tél. direct, s.d.b., w.c. et minibar
Prix des chambres : 6 000 Pts (simple) - 7 500/8 000 Pts (double)
8 700 Pts (suite)
Prix du petit déjeuner et horaire : 600 Pts - 8 h/11 h
Prix demi-pension et pension : 2 500 Pts - 3 740 Pts (1 pers., 3 j. mn)
Chiens admis
Cartes de crédit acceptées
Piscine à l'hôtel
Possibilités alentour : Chasse - Pêche - Plages sur rivière
Océan à 25 km

☐ Restaurant : *service 13 h/16 h - 20 h/23 h*
Menu : 1 900 Pts - Carte
Spécialités : Angula - Lamprea - Rodaballo - Pulpo à la gallega
Solomillo San Telmo

L'hôtel se dresse sur un petit promontoire, sur la rive droite du Miño, dans un paysage calme et verdoyant évoquant la campagne irlandaise.
Construit sur le modèle des maisons galiciennes, l'atmosphère est à l'image de l'environnement : sereine et paisible.
Les chambres sont très agréables mais la chambre 22 comporte de surcroît une petite galerie meublée de rotin et la suite, un grand balcon.
A noter aussi que c'est une bonne adresse pour savourer les spécialités de la région.

☐ Itinéraire d'accès : *à 34 km de Vigo - N 120 - Porriño - N 550 dir Portugal 14 km.*

Parador Condes de Villalba

Villalba (Lugo)
Tél. (982) 51.00.11 - Sr J. Vázquez Cámara

Ouverture toute l'année
6 chambres avec tél., s.d.b., w.c. et minibar
Prix des chambres : 6 000 Pts (simple) - 7 500 Pts (double)
Prix du petit déjeuner et horaire : 600 Pts - à partir de 8 h
Prix demi-pension et pension : 2 400 Pts - 3 550 Pts (1 pers., 2 j. mn)
Chiens non admis
Cartes de crédit acceptées
Possibilités alentour : Plages de rivière - Chasse - Pêche

☐ *Restaurant : service 13 h/16 h - 21 h/23 h*
Menu : 1 800 Pts - Carte
Spécialités : Caldo Gallego - Empanadas - Lacon con grelos

Il est bien loin le temps où la tour de Los Andrade défendait Villalba contre les ennemis qui l'assaillaient. On faillit oublier la reconnaissance qu'on lui devait, mais la société des paradores la sauva in extremis de la destruction, dotant ainsi la région d'un bon établissement hôtelier.

Les chambres sont très grandes avec tout le confort souhaité et une bonne cuisine régionale est servie dans la salle à manger, située au sous-sol.

Une étape confortable sur le chemin de St-Jacques de Compostelle.

☐ Itinéraire d'accès : *à 36 km de Lugo - Valeriano - Valdesus - au centre du village.*

Parador de Chinchón

28370 Chinchón (Madrid)
Avenida Generalísimo, 1
Tél. (91) 894.08.36 / 894.08.61 - Sr R. Calvo

Ouverture toute l'année
38 chambres climatisées avec tél. direct, s.d.b., w.c., t.v. et minibar
Prix des chambres : 8 500 Pts (double) - 10 500 Pts (suite)
Prix du petit déjeuner et horaire : 600 Pts - 8 h / 11 h
Prix demi-pension et pension : 2 800 Pts - 4 250 Pts (1 pers., 2 j. mn)
Chiens non admis
Cartes de crédit : Amex - Diners - MasterCard - Visa
Piscine et ping-pong à l'hôtel
Possibilités alentour : Tennis au village - Aranjuez (26 km)

☐ Restaurant : *service 13 h / 15 h 30 - 21 h / 23 h*
Menu : 2 200 Pts - Carte
Spécialités : Cuisine castillane - Grillades

Chichón a une Plaza Mayor qui mérite à elle seule le détour.
Le parador se trouve non loin de là.
Une atmosphère sereine se dégage de cet ancien couvent
fondé par les Augustins au XVe s. Le plafond de l'escalier
principal garde encore ses fresques d'origine et la chapelle de
Santa-Maria del Rosario est bien conservée.
Le dépouillement de la décoration où règne le blanc et les
azulejos donne beaucoup d'élégance aux salons, à la salle à
manger et aux chambres (préférez la suite n° 8 avec terrasse),
et met en valeur les patios verdoyants et fleuris. Cachés au
fond du jardin, là où autrefois était le potager, une belle
piscine et un bar invitent à la détente tout comme les coins
aménagés sous les arbres et les bambous parmi les fleurs et
les fontaines.

☐ Itinéraire d'accès : *à 52 km de Madrid - N 3 - Puente de Arganda -*
C 300 - Chinchón - près de la Plaza Mayor.

Palace Hotel

28014 Madrid
Plaza de las Cortes, 7
Tél. (91) 429.75.51 - Télex 22272 - Sʳ J.J. Berges

Ouverture toute l'année
508 chambres dont 20 suites climatisées avec tél. direct, s.d.b., w.c.,
minibar et t.v.
Prix des chambres : 14 500 / 22 000 Pts (simple)
18 000 / 27 500 Pts (double) - 33 000 / 70 000 Pts (suite)
Prix du petit déjeuner et horaire : 1 000 Pts - 7 h 15 / 10 h 45
Prix demi-pension : 5 250 Pts (1 pers.)
Chiens admis
Cartes de crédit acceptées
Coiffeur et salon de beauté à l'hôtel

☐ Restaurant : *service 12 h 45 / 16 h - 20 h 30 / 23 h 30*
Menu : 4 250 Pts - Carte
Spécialités : Cuisine régionale et internationale

C'est l'un des derniers grands hôtels Belle Epoque. Admirablement bien situé, le Palace déploie son immense bâtiment face à la place Canovas del Castillo, entre le musée du Prado et le Congrès.
Le roi Alphonse XIII l'inaugura en 1912. Prestigieux, il fut choisi par beaucoup de personnalités de ce siècle : depuis Mata-Hari jusqu'à R. Nixon, V. Gassman, F. Mitterrand, E. Hemingway...
Son hall majestueux conduit vers l'un des plus beaux salons : « la rotonda », où une série de doubles colonnes néoclassiques supportent une magnifique coupole décorée de vitraux Art Nouveau. Un lustre avec des palmes en cristal descend du plafond pour compléter ce superbe décor 1900.
Les chambres sont parfaites. Un luxe de bon ton fait de chaque espace un lieu exceptionnel. Pour les raffinés qui ne reculent pas devant certains prix.

☐ Itinéraire d'accès : *face au musée du Prado.*

Ritz Hotel

28014 Madrid
Plaza de la Lealtad, 5
Tél. (91) 221.28.57 - Télex 43986 - Sr J.M. Macedo

Ouverture toute l'année
156 chambres climatisées avec tél. direct, s.d.b., w.c.,
minibar et t.v.
Prix des chambres : 25 000/38 000 Pts (simple)
34 000/48 000 Pts (double) - 55 000/300 000 Pts (suite)
Prix du petit déjeuner et horaire : 1 500 Pts - 8 h/11 h
Chiens admis avec supplément
Cartes de crédit acceptées

□ Restaurant : *service 13 h/15 h 30 - 20 h 30/23 h 30*
Menu : 3 500 Pts - Carte
Spécialités : Cuisine internationale - Brunch tous les dimanches

Porteur d'un nom qui est devenu le symbole de l'hôtellerie de grand luxe, le Ritz de Madrid, construit à l'initiative d'Alphonse XIII, vient de fêter ses 75 ans. Totalement renové mais plus fidèle que jamais à sa décoration initiale, le résultat est éblouissant : les somptueux tapis de la Réal Fabrica qui recouvrent tous les sols sont toujours aussi superbes et si précieux qu'on a engagé à plein temps une restauratrice ; on a réouvert les jardins et la terrasse et on a encore amélioré la carte et la cave de son célèbre restaurant. Dans les chambres on retrouve toujours les détails Ritz : des bouquets somptueux, des peignoirs au chiffre de l'hôtel qui vous font douter de votre honnêteté, des corbeilles de fruits exquises...

Si vous voulez connaître au moins une fois le vrai luxe c'est au Ritz qu'il faut aller... Cela dit vous pourrez en avoir une idée en prenant un thé dans le salon Réal, un lunch dans le jardin, un cocktail sur la terrasse ou en dînant dans le plus beau restaurant de Madrid.

□ Itinéraire d'accès : *en face du musée du Prado et de la Bourse.*

PORTUGAL

97
95
Viana do Castelo

Bragance

96 92 MINHO
91 Braga

93 94
Porto DOURO • Vila Real
76
77 78 75

• Aveiro • Viseu
72

Guarda
74 73
71
• Coïmbra BEIRA

Leiria

Castelo Branco

ESTREMADURA

Portalegre

98
RIBATEJO
85 86
• Obidos
Santarem ALENTEJO
ALTO
88 89 90 99
79 80 81 Lisboa 84
Estoril 82 83 68 66
87 Setubal Evora
67

ALENTEJO
BAIXO Beja
•
Serpa
•
Odemira 70
69

Monchique •
61 ALGARVE
64 • Lagos
63 62 65 Faro
Sagres Portimão

Stalagem Mons Cicus

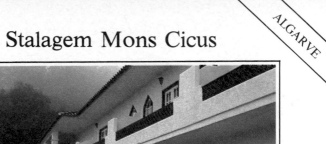

8550 Monchique (Faro)
Tél. : (082) 926.50 - Sr R. A. Gervasio

Ouverture toute l'année
8 chambres et 1 suite avec tél., s.d.b et w.c.
Prix des chambres : 5 500 / 7 500 Esc (double) - 8 000 Esc (suite)
Prix du petit déjeuner et horaire : compris - 8 h 30 / 11 h 30
Chiens non admis
Cartes de crédit : Amex - Diners - Visa
Piscine - Tennis - Sauna - Minigolf à l'hôtel
Possibilités alentour : Promenades en forêt et en montagne
☐ Restaurant : *service 12 h / 15 h - 19 h / 23 h*
Carte
Spécialités : Cuisine française et portugaise

Cette auberge se trouve dans les forêts de la Sierra de Monchique.
C'est un petit hôtel de montagne bien équipé : une piscine, un tennis permettent de passer d'agréables journées.
Le soir on retrouve avec plaisir le bar où règne une ambiance sympathique et décontractée. Les chambres sont douillettes et les salles de bains parfaites.
Au restaurant on sert une bonne cuisine française et portugaise.
A 25 km de Portimão, une bonne adresse pour se reposer quelques jours.

☐ Itinéraire d'accès : *à 25 km de Portimão - Estrada da Foia.*

61

Hotel Bela Vista

8500 Portimão (Faro)
Tél. : (082) 240.55 - Télex 57387 - Sr E. de Jesus

Ouverture toute l'année
14 chambres dont 2 suites avec tél. direct, s.d.b., w.c., t.v.
et minibar
Prix des chambres : 15 000 Esc (simple) - 17 000 Esc (double)
25 000 Esc (suite)
Prix du petit déjeuner et horaire : compris - 8 h / 10 h
Chiens non admis
Cartes de crédit acceptées
Plage au pied de l'hôtel
Possibilités alentour : Tennis - Golf - Equitation - Sports nautiques
☐ Pas de restaurant

Admirablement situé sur les falaises de Praia de Rocha, avec la plage à ses pieds, l'hôtel Bela Vista est un appréciable refuge les mois d'été. C'était à l'origine une maison de vacances particulière qui fut, dans les années 30, aménagée en hôtel.

Récemment rénové, l'ensemble est très soigné et n'a pas le côté « à peu près » que l'on rencontre souvent dans les hôtels du bord de mer : des boiseries, de confortables fauteuils, des canapés en cuir meublent les salons. Il en est de même dans les chambres avec partout de nombreux tableaux d'azulejos anciens.

De la grande terrasse panoramique, où l'on peut prendre son petit déjeuner (ainsi que des chambres 103 à 107), on a une belle vue sur la plage et la mer.

☐ *Itinéraire d'accès : à 2,3 km de Portimão - Praia da Rocha - sur les falaises.*

Fortaleza do Beliche

Cabo de San Vicente
8650 Sagres
Tél. : (082) 641.24 - Sr M.A. Dias Fale

Ouverture toute l'année sauf en décembre
4 chambres avec tél., s.d.b. et w.c.
Prix des chambres : 6 500 $ (simple) - 7 500 $ (double)
Prix du petit déjeuner : compris
Prix demi-pension et pension : 8 100 $ - 9 700 $ (1 pers.)
Chiens admis dans les chambres
Cartes de crédit non acceptées
Possibilités alentour : Plages et sports nautiques

☐ Restaurant : *service 12 h 30/14 h 30 - 19 h 30/21 h 30*
Menu : 1 600 $/2 100 $ - Carte
Spécialités de poissons

La presqu'île de Sagres est une région aride balayée par les vents du large.
Le Cabo San Vicente domine l'Océan de 75 m. C'est dans cet environnement assez impressionnant que l'on trouve la casa do Beliche aménagée dans une petite forteresse située sur une des falaises qui tombe en à pic sur la mer.
Cet hôtel miniature, qui ne comporte que 4 chambres dont une seule a la vue sur la mer, est une véritable oasis dans cette région un peu austère.
Ce sont les soirs de tempête que l'on doit le mieux apprécier le confort de l'hôtel !

☐ Itinéraire d'accès : *à 286 km de Lisbona - Sétubal - Alcacer do Sal - Grandola - Odemira - Aljezur - Vila do Bispo - Sagres.*

Os Gambozinos

Sagres - 8650 Vila do Bispo
Tél. : (082) 643.18 - Sr J. W. Mulder - S^{ra} J. Vermeer

Ouverture toute l'année
17 chambres dont 9 suites avec tél., s.d.b., w.c.
(5 suites avec minibar)
Prix des chambres : 5 000/6 000 Esc (double)
Prix du petit déjeuner et horaire : 350 Esc - 8 h/9 h 30 en chambre
Chiens admis
Carte de crédit : Visa
Plage à quelques mètres de l'hôtel
Possibilités alentour : Golf (8 km) - Tennis (3 km)

☐ Restaurant : *service 12 h/ 15 h - 18 h/21 h 30*
Fermeture en novembre
Menu : 600/800 Esc - Carte
Spécialités : Poissons - Canard - Agneau en stufade - Poule avec
« piri-piri »

Sagres est un village de pêcheurs non loin du Cap St-Vicente où fut fondée en 1443 la première école navale portugaise. « Os Gambozinos » se trouve au bord d'une belle plage de sable blanc, à 500 m des îlots du Martinhal, paradis des oiseaux de mer. C'est aussi une région très connue pour la planche à voile et la pêche.
L'hôtel est tenu par une sympathique famille hollandaise qui a su exploiter la situation privilégiée de l'hôtel. Toutes les parties communes et la plupart des chambres donnent directement sur la baie.
Le village, les bars de pêcheurs ne manquent pas de pittoresque. Une bonne adresse pour des vacances de soleil et de mer.

☐ Itinéraire d'accès : *à 33 km de Lagos - à 3 km de Sagres - Praia do Martinhal.*

Estalagem de Cegonha

81000 Vilamoura (Faro)
Tél. : (089) 662.71 - Télex 56838 - S^ra E. de Jesus

Ouverture toute l'année sauf en janvier ou décembre
10 chambres avec tél., s.d.b. et w.c.
Prix du petit déjeuner et horaire : compris - 8 h / 10 h
Cartes de crédit : Amex - Diners - Visa
Très important centre équestre à l'hôtel
Possibilités alentour : Golf - Tennis - Piscine à 2 km - Plage à 7 km

☐ Restaurant : *service 13 h / 15 h - 20 h / 22 h*
Fermeture mercredi et jeudi matin
Carte
Spécialités : Brochettes mixtes - Cabrito assado - Mariscos
Fruits de mer

L'Estalagem de Cegonha est une bonne adresse pour échapper à la foule de la côte de l'Algarve. Située dans l'arrière-pays, elle est cependant tout près des plages, des parcours de golf, du casino et de la marina de Vilamoura. Elle séduira surtout ceux qui aiment le cheval car un centre hippique renommé est installé dans la propriété.
Cet ancien moulin restauré a été aménagé dans un esprit très campagnard. Dans le salon, une grande cheminée, des fauteuils en cuir créent une ambiance rustique et agréable. La spacieuse salle à manger s'ouvre sur la campagne et sur le centre hippique. La cuisine, qui fait partie intégrante de la maison, contribue à créer ce climat chaleureux présent dans tout l'hôtel.

☐ Itinéraire d'accès : *à 22 km de Faro - Vilamoura - route d'Albufeira.*

Pousada Rainha Santa Isabel

7100 Estremoz (Evora)
Tél. : (068) 226.18 - Télex 43885 - Sr L. F. Loureiro Abilio

Ouverture toute l'année
20 chambres dont 3 suites climatisées avec tél., s.d.b., w.c.
(minibar dans 4 ch. et dans les suites)
Prix des chambres : 11 450 Esc (simple) - 13 100 Esc (double)
26 150 Esc (suite)
Prix du petit déjeuner et horaire : compris - 7 h 30/10 h
Chiens non admis
Cartes de crédit : Amex - Diners - Visa

☐ Restaurant : *service 12 h 30/15 h 30 - 19 h 30/22 h 30*
Menu : 2 000/2 600 Esc - Carte
Spécialités : Carne de porco alentejana - Bacalhao dorado - Agorda
alentejana

Après avoir été une caserne puis une école, le château
d'Estremoz fut finalement aménagé en hôtel.
C'est la pousada la plus luxueuse du pays. D'abord
l'architecture intérieure a des volumes grandioses : l'escalier
monumental de l'entrée décoré d'azulejos, les salons, la
longue salle à manger voûtée sont majestueux.
Le mobilier compte de véritables pièces de collection. Les
chambres sont d'un luxe sobre et exquis ; la cuisine raffinée
et la cave renommée.
Un établissement de grand niveau pour des prix raisonnables.

☐ Itinéraire d'accès : *à 46 km d'Evora - Largo don Dinis - le château est*
situé dans la partie la plus ancienne de la ville.

Pousada dos Lóios

7000 Evora
Largo Conde Vila Flor
Tél. : (066) 240.51 - Télex 43288 - Sr M. de Oliveira Cardoso

Ouverture toute l'année
32 chambres dont 1 suite avec tél., s.d.b. et w.c.
Prix des chambres : 11 450 Esc (simple) - 13 100 Esc (double)
21 000 Esc (suite)
Prix du petit déjeuner et horaire : compris - 7 h 30/10 h 30
Chiens non admis
Cartes de crédit : Amex - Diners - Visa
Possibilités alentour : Piscine - Tennis - Equitation en ville

☐ *Restaurant : service 12 h 30/14 h 30 - 19 h 30/21 h 30*
Menu : 2 000/2 600 Esc - Carte
Spécialités : Carne de porco alentejana - Acorda alentejana
Alhada de Cacão.

Evora est une ville fortifiée, située dans une des plus belles
régions du Portugal. Le couvent de Los Lóios, où est à
présent installée la pousada, fait partie d'un bel ensemble de
monuments historiques. Il est en effet entouré d'un côté par
la célèbre maison des ducs de Cadaval et de l'autre par le
palais des comtes de Basto. Tout près se dressent le temple de
Diane, la cathédrale et le musée...
A l'intérieur, le couvent conserve une très belle porte
gothique-manuelin, un petit salon décoré de meubles et de
murs peints XVIIIe. La salle à manger occupe le réfectoire du
couvent, mais l'été les repas sont servis dans le cloître
ombragé. Les chambres sont fraîches, simples, agréablement
meublées. Nous vous recommandons la suite avec un beau
plafond peint et un mobilier ancien indo-portugais.

☐ Itinéraire d'accès : *à 145 km de Lisboa - en face du Temple romain.*

Pousada do Castelo

2950 Palmela (Setúbal)
Tél. : (01) 235.04.10 - Télex 42290 - Sr J. Monteiro-Marques

Ouverture toute l'année
27 chambres climatisées avec tél., s.d.b., w.c. (6 avec minibar)
Prix des chambres : 6 600 Esc (simple) - 8 750 Esc (double)
Prix du petit déjeuner et horaire : compris - 8 h / 10 h 30
Prix demi-pension et pension : 2 000 Esc - 4 000 Esc (1 pers.)
Chiens non admis
Cartes de crédit acceptées
Piscine - Galerie d'art dans l'hôtel

☐ Restaurant : *service 12 h 30 / 15 h - 19 h 30 / 21 h 30*
Menu : 2 000 / 2 600 Esc - Carte
Spécialités : Poissons et fruits de mer - Soupe aux huîtres - Frango na púcara

Au cœur de la sierra de Arrábida, cette auberge occupe le couvent du château de Palmela, construit en 1423 pour les chevaliers de Santiago.
Un très grand confort règne à l'intérieur de cette austère bâtisse qui a conservé de très beaux cloîtres où ont lieu régulièrement des expositions d'artistes portugais. Les chambres sont toutes bien agencées et ont toutes une belle vue, mais les meilleures sont les chambres 22 et 9 où le président Mitterand se logea lors d'un séjour au Portugal.
A signaler une belle piscine et un jardin avec des ruines très poétiques.

☐ Itinéraire d'accès : *à 43 km de Lisboa - autoroute sud (A2) - Palmela (au château).*

Pousada Santa Clara

7665 Santa Clara-a-Velha-Odemira (Beja)
Tél. : (083) 98.250 - Sr S. A. Monteiro da Mesquita Almeido

Ouverture toute l'année
6 chambres avec tél., s.d.b. et w.c.
Prix des chambres : 6 500 Esc (simple) - 7 500 Esc (double)
Prix du petit déjeuner et horaire : compris - 8 h/10 h 30
Chiens admis
Cartes de crédit acceptées
Piscine à l'hôtel
Possibilités alentour : Chasse - Pêche - Sports nautiques sur le lac
☐ Restaurant : *service 12 h 30/15 h - 19 h 30/21 h 30*
Menu : 1 600/2 100 Esc
Spécialités : Lombo de porco assado con oregãos y Poranjas
Gazpacho - Açorda

L'hôtel domine le barrage de Santa Clara, c'est dire qu'il est bien placé pour ceux qui aiment faire de la planche à voile, du bateau... il est aussi un bon point de départ pour des promenades dans la Serra de Monchique.
C'est une petite pousada moderne mais tout à fait charmante. Le salon, décoré d'une multitude de plantes vertes et d'un mobilier en rotin, a de grandes fenêtres s'ouvrant sur la terrasse et le barrage. L'été, le service de bar est assuré à l'extérieur.
La salle à manger est gaie, les chambres sans surprise mais confortables avec des balcons donnant soit sur le lac, soit sur les montagnes. Un endroit agréable.

☐ Itinéraire d'accès : *à 115 km de Faro - Portimão - N 266 - Monchique Santa Clara.*

Pousada de São Gens

7830 Serpa (Beja)
Tél. : (084) 903.27 - Télex 43651 - Sr A. Coxixo

Ouverture toute l'année
18 chambres climatisées avec tél. direct, s.d.b. et w.c.
Prix des chambres : 6 500 Esc (simple) - 7 500 Esc (double)
Prix du petit déjeuner et horaire : compris - 7 h 30 / 10 h 30
Chiens admis
Cartes de crédit acceptées
Piscine à l'hôtel
Possibilités alentour : Tennis à 2 km - Promenades

☐ Restaurant : *service 12 h 30 / 15 h - 19 h 30 / 22 h*
Menu : 1 600 / 2 100 Esc - Carte
Spécialités : Migas con carne de porco - Açorda alentejana
Gazpacho alentejano - Ensopado de borrego

On entre dans Serpa par la Porte de Beja ouverte dans les murs de la vieille forteresse qui entoure la ville. Occupée tour à tour par les Arabes et les Castillans, elle conserve de nombreux témoignages de ces différentes cultures.

La pousada, d'architecture assez moderne, côtoie la petite chapelle de São Gens. Les deux bâtiments blanchis à la chaux, posés au sommet d'une petite colline, un peu à l'écart de la ville, dominent de grands champs de blé et d'oliviers. La décoration intérieure est sobre mais les aménagements sont très confortables et on y déguste une appétissante cuisine régionale.

Un des très bons moments que vous passerez dans cette pousada c'est le soir, lorsque dans ce paysage paisible montent la voix des bergers, le tintement des grelots et la rumeur des champs. Un cliché à ne pas manquer !

☐ Itinéraire d'accès : *à 22 km de Lisboa - N 10 Setúbal - N 5 Alcácer do Sal - N 120 Grándola - N 259 Ferreira - N 121 - à 29 km de Beja - N 260 Serpa.*

Palace Hotel de Buçaco

3050 Buçaco (Aveiro)
Tél. : (031) 93.101 - Télex 53049 - Sr J. Santos

Ouverture toute l'année
60 chambres dont 6 stes avec tél., s.d.b., w.c. (16 avec minibar et t.v.)
Prix des chambres : 7 500 Esc (simple) - 9 000 Esc (double)
15 000/24 000 Esc (suite)
Prix du petit déjeuner et horaire : compris - 8 h/10 h
Chiens admis
Cartes de crédit acceptées
Tennis à l'hôtel
Possibilités alentour : Promenades dans la forêt entourant l'hôtel

☐ Restaurant : *service 12 h 30/15 h 30 - 20 h/22 h*
Menu : 2 250 Esc - Carte
Spécialités : Canard au riz - Morue à la crème

On concevrait mal en France de se loger dans un des châteaux de la Loire. L'Espagne et le Portugal ont trouvé ce moyen pour préserver leur patrimoine, et il est assez étonnant de vivre quelques jours dans ce qui fut le palais d'été de la famille impériale.

Ce majestueux palace de style manuelin renferme plus d'un chef-d'œuvre : l'architecture intérieure monumentale a été rendue très « habitable » par les tapis, les meubles anciens qui décorent l'hôtel. L'entrée d'où part le grand escalier et la salle des petits déjeuners décorée de fresques racontant les aventures des navigateurs portugais sont particulièrement réussies. Chaque chambre est différente mais celles que l'on occupe en été ont un mobilier des années 20 et 30 qui leur donne un petit charme de plus.

Les fontaines, les sources, les cygnes noirs qui glissent sur les bassins, les galeries qui bordent le somptueux parc contribuent à recréer une ambiance royale...

☐ Itinéraire d'accès : *à 31 km de Coimbra - N 1 - Mealhada - N 234 - 12 km - Buçaco.*

Pousada de São Jerónimo

3475 Caramulo (Viseu)
Tél. : (032) 862.91 - Télex 53512 - Sr J. V. Ramos Rodríguez

Ouverture toute l'année
6 chambres avec tél., s.d.b. et w.c.
Prix des chambres : 6 500 Esc (simple) - 7 500 Esc (double)
Prix du petit déjeuner et horaire : compris - 8 h / 11 h
Chiens non admis
Cartes de crédit acceptées
Piscine et tennis à l'hôtel
Possibilités alentour : Promenades en montagne - Pêche - Musée de la voiture

□ Restaurant : *service 12 h 30 / 15 h - 19 h 30 / 22 h*
Menu : 1 600 / 2 100 Esc - Carte
Spécialités : Bacalhao dorado - Chanfana - Musela con Grelos

Dans les massifs de Caramulo, au milieu d'une forêt de sapins, on est heureux de trouver cette petite pousada moderne mais accueillante.
Elle ne compte que six chambres assez rustiques, simples mais où le confort n'est pas négligé.
Si l'on n'est pas venu pêcher dans les rivières poissonneuses de l'Agueda et du Criz on appréciera, même pour quelques heures, la piscine, le tennis et le parc de l'hôtel. Des terrasses des chambres et de la salle à manger, on a une superbe vue sur les vallées des alentours.
La petite dimension de l'hôtel contribue à une ambiance familiale et à un accueil chaleureux.

□ Itinéraire d'accès : *à 78 km de Coimbra - N 1 - Mealhada - N 234 - Tondela - N 230 - Campo de Beisteros - 11 km.*

Pousada de São Lourenço

6260 Manteigas (Guarda)
Tél. : (075) 471.50 - Télex 53992 - Sʳ J. Beltrão Rodriguez

Ouverture toute l'année
14 chambres avec tél. direct, s.d.b. et w.c.
Prix des chambres : 6 500 Esc (simple) - 7 500 Esc (double)
Prix du petit déjeuner et horaire : compris - 8 h / 10 h
Chiens non admis
Cartes de crédit acceptées
Possibilités alentour : Piscine - Tennis - Lac - Ski à 25 km

□ Restaurant : *service 12 h 30 / 14 h 30 - 19 h 30 / 21 h 30*
Menu : 1 600 / 2 100 Esc - Carte
Spécialités : Caldo verde - Bacalhao à la São Lourenço
Cabrito assado

C'est à 1 290 m d'altitude, au cœur de la Serra de Estrela, au milieu d'un merveilleux décor de montagnes et de vallées couvertes de pins que se cache l'auberge de São Lourenço. Le bois, la pierre que l'on a utilisés la font ressembler à un véritable refuge de montagne. L'intérieur rustique et chaleureux est bien aménagé pour recevoir des hôtes en toute saison : partout de grandes cheminées pour les mois d'hiver ; l'été on profite du tennis, de la piscine et du jardin.
Toutes les chambres ont une belle vue mais les chambres 5, 6 et 7 ont de petites terrasses.
Une halte agréable dans votre voyage.

□ Itinéraire d'accès : *à 49 km de Guarda - N 18 dir. Covilhã - Belmonte - N 232 - Manteigas - N 232 dir Gouveia - 14 km.*

Pousada Santa Barbara

34000 Oliveira do Hospital (Coimbra)
Tél. : (038) 522.52 - Télex 53794 - Sr A. Seiqueira

Ouverture toute l'année
16 chambres avec tél., s.d.b. et w.c.
Prix des chambres : 7 900 Esc (simple) - 9 000 Esc (double)
Prix du petit déjeuner et horaire : compris - 8 h/10 h
Chiens non admis
Cartes de crédit acceptées
Piscine et tennis à l'hôtel
Possibilités alentour : Pêche - Chasse - Promenades en montagne et
en forêt

☐ Restaurant : *service 12 h 30/15 h - 19 h 30/22 h*
Menu : 1 700/2 300 Esc - Carte
Spécialités : Truite - Choux-fleurs rotis - Boudin noir - Caille

La région rurale d'Oliveira do Hospital est un site attrayant :
aux forêts de sapins succèdent les vallées où sont regroupées
des fermes très actives qui fournissent les hôtels en légumes
frais.
L'auberge Santa Barbara est une construction récente mais le
feu dans la cheminée, les objets d'art populaire et la vue sur
les prairies participent à l'agréable ambiance campagnarde.
Différentes terrasses ont été aménagées, idéales pour prendre
un verre ou bien pour déguster un bon barbecue. Les
chambres ont aussi leur balcon, permettant de profiter dès le
matin du panorama.

☐ Itinéraire d'accès : *à 82 km de Coimbra - N 17 - Póuas das Quartas.*

Pousada São Gonçalo

4600 Amarante (Porto)
Tél. : (055) 46.11.23 - S^ra M. Antonia

Ouverture toute l'année
15 chambres avec tél., s.d.b. et w.c.
Prix des chambres : 6 500 Esc (simple) - 7 500 Esc (double)
Prix du petit déjeuner et horaire : compris - 7 h 30 / 10 h 30
Chiens non admis
Cartes de crédit acceptées
Possibilités alentour : Piscine - Tennis (20 km) - Promenade
Pêche - Chasse

☐ Restaurant : *service 12 h 30 / 15 h - 19 h 30 / 22 h*
Menu : 1 600 / 2 100 Esc - Carte
Spécialités : Cabrito assado

C'est dans un majestueux décor de montagne, sur la route de corniche reliant Amarante à Vila Real, noyée dans une mer de sapins que se trouve la pousada São Gonçalo.
Isolée et située à 26 km d'Amarante, cet établissement convient mieux pour une halte que pour un séjour.
L'hôtel est confortable, accueillant et son architecture en demi-cercle permet de profiter au maximum du fantastique panorama. Les chambres sont bien équipées, la cuisine bonne.
L'atmosphère est celle des hôtels de montagne, calme, sereine et chaleureuse.

☐ Itinéraire d'accès : *à 64 km de Porto - à 26 km d'Amarante sur la N 15.*

Hotel Infante de Sagres

4000 Porto
Praça dona Filipa de Lencastre, 62
Tél. : (02) 281.01 - Sr F. Sousa

Ouverture toute l'année
84 chambres dont 3 suites avec tél. direct, s.d.b., w.c., minibar et t.v.
Prix des chambres : 9 000 Esc (simple) - 11 000 Esc (double)
15 000 Esc (suite)
Prix du petit déjeuner et horaire : compris - 7 h 30 / 10 h 30
11 h 30 (chambre)
Chiens admis
Cartes de crédit acceptées
Possibilités alentour : Golf à Espinho (17 km) et à Miramar (9 km)
Visite des chais

☐ Restaurant : *service 12 h 30 / 14 h 30 - 19 h 45 / 22 h*
Menu : 2 200 Esc - Carte
Spécialités : Pescada a Infante de Sagres - Bife
Robalo à la portugese - Roast beef en croûte

Situé au cœur de la ville, tout près de la mairie et des jardins de Cordoaria, l'Infante de Sagres est l'hôtel de classe de Porto. La réception, les salons sont richement meublés et l'hôtel s'enorgueillit de détenir quelques meubles sculptés de grande valeur. On retrouve dans les chambres le même grand confort et le même luxe.
La salle à manger a beaucoup d'atmosphère ; les appliques et les lustres de cristal qui se reflètent dans de grandes glaces créent avec les roses et les bruns de la décoration une ambiance très raffinée.
Le service est à la mesure de l'élégance de l'établissement.

☐ Itinéraire d'accès : *prendre la rua do Almada - la place est sur la gauche.*

Estalagem Castelo Santa Catarina

4000 Porto
Rua Santa Catarina, 1347
Tél. : (02) 49.55.99 - Sr J. Teixeira Bras

Ouverture toute l'année
26 chambres avec tél., s.d.b., w.c. (13 avec t.v.)
Prix des chambres : 3 000 Esc (simple) - 5 000 Esc (double)
Prix du petit déjeuner et horaire : compris - 8 h / 10 h
Chiens admis
Cartes de crédit non acceptées
Possibilités alentour : Golf à Espinho (17 km) et à Miramar (9 km)
☐ Pas de restaurant

Il est tout à fait insolite ce petit château d'opérette construit dans les années 40 !
C'est d'abord une petite enclave de campagne au centre même de la ville avec des jardins, une petite chapelle et des terrasses bordées de palmiers.
Les boiseries de la réception créent dès l'arrivée une ambiance chaleureuse. Mais ce sont les chambres de l'ancien bâtiment qui donnent à l'hôtel toute sa personnalité. En effet le propriétaire, qui est un grand collectionneur d'antiquités, y a regroupé toutes ses trouvailles...
Celles du dernier étage, avec les tourelles, sont plus vastes et ont une plus belle vue que celles de l'annexe.
Un bon hôtel pas trop cher et plein de saveur.

☐ Itinéraire d'accès : *près de la place Marqués de Pombal.*

Residêncial Rex

4000 Porto
Praça da Republica, 117
Tél. : (02) 245.48 - Sr W. Melo

Ouverture toute l'année
21 chambres avec tél., s.d.b. et w.c.
Prix des chambres : 4 000 Esc (simple et double)
Prix du petit déjeuner et horaire : compris - 7 h 30 / 10 h 30
Chiens non admis
Cartes de crédit non acceptées
Parking à l'hôtel
Possibilités alentour : Golf d'Espinho (7 km) et à Miramar (9 km)

☐ Pas de restaurant

Cet hôtel a deux atouts : il est d'une part très bien situé, dans le centre ville, mais sur une place plantée de très beaux arbres centenaires et possède, d'autre part, un grand parking privé. Cela étant dit, c'est aussi un hôtel confortable.
Les chambres sont grandes et bien équipées mais celles du dernier étage, bien que plus petites, offrent un confort plus fonctionnel. La décoration intérieure mélange le style et le moderne mais tient surtout son charme des beaux plafonds peints.
Une ambiance familiale et décontractée règne dans le salon et au bar.
Un hôtel sans prétention mais bien sympathique.

☐ Itinéraire d'accès : *entre la rua de Gonçalo Cristovão et la rua de Antero de Quental.*

Hotel Albatroz

2750 Cascais (Lisboa)
Rua Frederico Arouca, 100
Tél. : (01) 28.28.21 - Télex 16052 - Sr L. Simoes de Almeida

Ouverture toute l'année
40 chambres avec tél. direct, s.d.b., w.c., t.v. et radio (29 climatisées,
25 avec minibar)
Prix des chambres : 15 000/19 000 Esc (simple)
17 600/20 800 Esc (double) - 28 000/31 000 Esc (suite)
Prix du petit déjeuner et horaire : compris - 7 h 30/10 h 30
Chiens admis
Cartes de crédit acceptées
Piscine à l'hôtel
Possibilités alentour : Plage à 20 m - Golf - Equitation
Tennis à 3 km

☐ Restaurant : *service 12 h 30/15 h - 19 h 30/22 h*
Carte
Spécialités : Crabe farci - Bar grillé sauce tartare - Importante carte
de vins portugais

Résidence d'été de la famille royale au XIXe s., cette villa fut
restaurée et agrandie pour devenir un luxueux hôtel.
Le goût et l'imagination ont parfaitement su intégrer une
décoration contemporaine au style portugais traditionnel.
De nombreuses chambres donnent sur la mer mais celles du
nouveau bâtiment ont en plus des balcons.
On peut se baigner dans la petite crique au pied même de la
terrasse ou préférer la piscine d'eau de mer et le solarium de
l'hôtel.
Le soir il est très agréable de dîner face à la mer (cuisine
excellente), et c'est toujours un plaisir de regagner sa
chambre par l'ancien escalier décoré d'un lambris de ces
azulejos dont on ne se lasse pas.

☐ Itinéraire d'accès : *à 30 km de Lisboa*

Estalagem Senhora da Gúia

2750 Cascais (Lisboa)
Tél. : (01) 28.92.39/28.97.35 - Sr C. Ornelas Monteiro

Ouverture toute l'année
28 chambres avec tél. direct, s.d.b. et w.c. (possibilité d'avoir la t.v.)
Prix des chambres : 13 500/16 000 Esc (double) - 18 500 Esc (suite)
Prix du petit déjeuner et horaire : compris - 8 h/10 h
Prix demi-pension et pension : 2 000 Esc - 4 000 Esc (1 pers.)
Chiens non admis
Cartes de crédit : Amex - Diners - Visa
Piscine à l'hôtel
Possibilités alentour : Tennis - Golf - Equitation - Plage à 3 km et
tennis de Quinta da Marinha tout à côté

☐ Restaurant : *service 13 h/15 h - 20 h/22 h*
Carte
Spécialités : Poissons - Cuisine familiale - Cuisine internationale

Plutôt maison de vacances qu'hôtel, cette ancienne villa d'été
est un estalagem délicieux, situé face à l'Océan, entouré de
jardins et de terrasses, doté d'une superbe piscine d'eau de
mer.
Difficile de transmettre l'ambiance intime du salon, du bar et
de la salle à manger où sont dressées de belles natures mortes
de fleurs et de fruits. Les chambres sont magnifiques. Celles
de l'annexe ou les duplex conviennent bien pour des familles,
et ont de surcroît des terrasses.
On peut dès le matin profiter de la vue sur la mer en prenant
son petit déjeuner près de la piscine.
Situé dans la campagne et à 2 km de Cascais, l'estalagem se
trouve tout près du golf et des tennis de Quinta de Marinha.
Une adresse idéale pour ceux qui veulent faire un « break »
au milieu de l'année.

☐ Itinéraire d'accès : *à 30 km de Lisboa - N 6 - Estoria - Cascais - route*
de Gincho à 5 km.

Hotel Palácio

2765 Estoril (Lisboa)
Rua do Parque
Tél. : (01) 268.04.00 - Télex 12757 - Sr M.A. Quintas

Ouverture toute l'année
167 chambres avec tél., s.d.b. et w.c.
Prix des chambres : 14 000 / 15 000 Esc
Prix du petit déjeuner et horaire : compris - 7 h 30 / 10 h
Chiens admis
Cartes de crédit acceptées
Piscine - Sauna et salon de beauté à l'hôtel
Possibilités alentour : Plages - Golf d'Estoril

☐ Restaurant : *service 13 h / 15 h - 20 h / 22 h*
Carte
Spécialités : Cuisine internationale

Estoril est devenue une élégante station balnéaire, très appréciée pour la douceur de son climat en hiver et pour les qualités de ses distractions : un golf réputé et un casino attirent une clientèle internationale.

Le Palácio est un hôtel très chic qui met à la disposition de ses clients un éventail complet de divertissements : une piscine d'eau thermale, un sauna et la possibilité d'utiliser, de façon privilégié, les courts du Tennis Club et d'être membre temporaire du Golf Club d'Estoril.

Le confort, le décor, le service et l'ambiance sont ceux d'un palace. De beaux jardins entourent l'hôtel et les suites en duplex qui se trouvent autour de la piscine méritent encore un petit plus.

Il est recommandé de dîner un soir au « Four Seasons » qui est installé dans l'hôtel.

A 30 min. de Lisbonne et de l'aéroport international, Estoril est à retenir pour des vacances d'hiver.

☐ Itinéraire d'accès : *à 28 km de Lisboa - à 13 km de Sintra.*

Avenida Palace

1200 Lisboa
Rua Primeiro di Dezembro, 123
Tél. : (01) 36.01.51 - Sr L. A. Ribeiro da Silva

Ouverture toute l'année
100 chambres dont 11 suites climatisées avec tél., s.d.b. et w.c.
Prix des chambres : 10 000 Esc (simple) - 12 000 Esc (double)
17 500 (suite)
Prix du petit déjeuner et horaire : compris - 7 h 30 / 10 h
Chiens non admis
Cartes de crédit acceptées

☐ Pas de restaurant

Au cœur de Lisbonne, l'Avenida Palace est un bel établissement tel qu'on les concevait au début du siècle.
Dans les salons, la salle de musique, la salle à manger on retrouve toujours les meubles, les objets et les tableaux anciens qui créent toute l'atmosphère de ces hôtels raffinés.
Dans les chambres et les 11 suites, le confort et un très bon service sont assurés.
Son emplacement est parfait pour ceux qui veulent profiter pleinement de Lisbonne.

☐ Itinéraire d'accès : *en face de la place des Restauradores.*

York House Hotel

1200 Lisboa
Rua das Janelas Verdes, 32
Tél. : (01) 66.25.44 - Sʳ J. Telles

Ouverture toute l'année
48 chambres avec tél. (30 avec s.d.b. 33 avec w.c.)
Prix des chambres : 6 000 / 7 000 Esc (simple) - 9 000 Esc (double)
12 000 Esc. (suite)
Prix du petit déjeuner et horaire : compris - 7 h 30 / 9 h
Chiens admis
Cartes de crédit acceptées
☐ Restaurant : *service 12 h 30 / 14 h - 19 h 30 / 21 h*
Menu : 1 200 / 1 500 Esc
Spécialités : Cuisine portugaise et française

Dès l'entrée on perçoit qu'on arrive dans un endroit magique : un mystérieux escalier, une cour envahie d'une profusion de plantes et de palmiers, une verrière à travers laquelle on entrevoit la salle à manger, l'impression de se retrouver à la campagne...
Au détours des couloirs et des corridors, les salons se succèdent, bien meublés, décorés de faïences et d'objets anciens.
Dans les chambres règne la même atmostphère : calme, simplicité, confort et bon goût.
Une excellente adresse, l'hôtel étant de surcroît très bien situé, en face du musée.

☐ Itinéraire d'accès : *à côté du musée d'Art ancien.*

York House Annexe

1200 Lisboa
Rua das Janelas Verdes, 47
Tél. : (01) 66.25.44 - Sr J. Telles

Ouverture toute l'année
18 chambres avec tél. direct, s.d.b. et w.c.
Prix des chambres : 7 000 Esc (simple) - 9 000 Esc (double)
Prix du petit déjeuner et horaire : compris - 7 h 30 / 9 h
Chiens admis
Cartes de crédit acceptées

☐ Restaurant : *celui de l'hôtel York House*

Si vous n'obtenez pas de place au York House, n'hésitez pas si l'on vous propose l'annexe. Située dans la même rue, c'est tout simplement une petite merveille : un coin d'Angleterre à Lisbonne.
La décoration coloniale fin de siècle est faite de ce mélange d'objets, de souvenirs, de meubles qui font le charme des intérieurs anglais. Les chambres sont adorables et encore plus la chambre 23 qui donne sur le joli jardin de curé d'où l'on aperçoit le port.
Les chambres du dernier étage sont plus simples mais tout aussi confortables et jouissent d'une meilleure vue.
C'est sans aucun doute une des perles de Lisbonne.

☐ Itinéraire d'accès : *à côté du musée d'Art ancien.*

Pousada do Castelo

2510 Obidos (Leiria)
Rua Jõao de Ornelas
Tél. : (062) 95.105 - Télex 15540 - Sr J. M. Nobre Pereira

Ouverture toute l'année
6 chambres et 3 suites climatisées avec tél. direct, s.d.b., w.c.
(t.v. et minibar dans les suites)
Prix des chambres : 11 450 Esc (simple) - 13 100 Esc (double)
26 150 Esc (suite)
Prix du petit déjeuner et horaire : compris - 8 h/10 h
Chiens non admis
Cartes de crédit acceptées
Possibilités alentour : Plages (13 km) - Lac et sports nautiques
(12 km) - Piscine et tennis (7 km) - Equitation (15 km)

☐ Restaurant : *service 12 h 30/14 h 30 - 19 h 30/21 h 30*
Menu : 2 000/2 600 Esc
Spécialités : Cabrito assado - Bacalhao a Pousada

Obidos mérite qu'on s'y arrête. Elle se dresse, entourée de remparts, au milieu d'une vaste plaine dominée par l'un des plus beaux châteaux médiévaux du pays. A l'intérieur de l'enceinte, les ruelles, les maisons blanches semblent vivre au ralenti et il s'en dégage une grande douceur de vivre.
Le Castelo occupe un ancien palais du XVe s., fidèlement restauré. Chaud, intime, la sobriété du salon met en valeur les beaux objets anciens qui le décorent. A côté, la salle à manger ouvre ses grandes fenêtres sur la cour et le paysage, tout comme les chambres d'un confort exemplaire.
A noter encore une excellente table.

☐ Itinéraire d'accès : *à 92 km de Lisboa - A1 - Aveiras de Cima - N 366 - avant d'arriver à Caldas, prendre dir Obidos - dans le château situé en haut de la vieille ville.*

Estalagem do Convento

2510 Obidos
Rua Dom Jõao de Ornelas
Tél. : (062) 95.217 - Télex 44906 - Sr L.O. Souza Garcia

Ouverture toute l'année
23 chambres avec tél. direct, s.d.b. et w.c.
Prix des chambres : 5 500 Esc (simple) - 6 000 Esc (double)
7 500 Esc. (suite)
Prix du petit déjeuner et horaire : compris - 8 h/10 h
Chiens admis
Carte de crédit : Visa
Possibilités alentour : Plages (13 km) - Lac et sports nautiques
(12 km) - Piscine et tennis (7 km) - Equitation (15 km)

☐ Restaurant : *service 12 h 30/14 h 30 - 19 h 30/21 h 30*
Menu : 1 320/2 100 Esc - Carte
Spécialités : Calderada de Cabrito - Doce dos ovos con almẽndoa -
Puding de Macá

Obidos conserve de nombreux vestiges d'une riche histoire. Cette maison ancienne où s'est installée l'*estalagem* fut construite il y a 200 ans pour être un couvent.
Il faut croire que là n'était pas sa vocation puisque après avoir été une école, une maison particulière, elle est aujourd'hui un hôtel.
L'ambiance rustique du décor ne doit pas vous rebuter : les chambres sont grandes, aménagées avec soin, et leur caractère désuet n'est qu'un charme de plus. Les chambres 20 et 29 possèdent de surcroît un balcon et une belle vue sur la ville et la campagne.
L'accueil chaleureux, le service impeccable, les prix raisonnables, que dire de plus pour vous recommander cette auberge !

☐ Itinéraire d'accès : *à 92 km de Lisboa - A1 - Aveiras de Cima - N 366 - avant d'arriver à Caldas, prendre dir Ovidos.*

Pousada São Filipe

2900 Setúbal
Tél. : (065) 238.44 - Sʳ J. E. Simões de Almeida

Ouverture toute l'année
15 chambres avec tél., s.d.b., w.c.
Prix des chambres : 11 450 Esc (simple) - 13 100 Esc (double)
17 450 Esc (suite)
Prix du petit déjeuner et horaire : compris - 8 h / 10 h 30
Chiens admis
Cartes de crédit acceptées
Possibilités alentour : Plages - Piscine - Tennis - Golf - Ski nautique
Pêche en mer et en rivière - Equitation (15 km)

☐ Restaurant : *service 12 h 30 / 15 h - 19 h 30 / 22 h*
Menu : 2 000 / 2 600 Esc - Carte
Spécialités : Poissons (rougets) - Cocktail de fruits de mer

La pousada occupe le fort de São Filipe, construit en 1590 pour défendre le port de Setúbal. Devenu une prison au XVIIIᵉ s., il perdit toutes ses attributions militaires au XIXᵉ s.
En 1965, on aménagea en hôtel une partie de la citadelle qui est un très bel exemple d'architecture militaire où ne manquent ni les souterrains ni les cachots...
La décoration est soignée et sobre. Située au sommet d'une colline, on a de la grande terrasse une très belle vue sur le port, la baie et la ville. Les chambres sont confortables mais il faut éviter absolument celles n'ayant pas de vue.
Ne pas oublier d'aller voir la superbe chapelle entièrement tapissée de merveilleux azulejos.

☐ Itinéraire d'accès : *à 51 km de Lisboa - Autoroute du Sud - Setúbal - dans le château du même nom.*

Quinta da Capela

2710 Sintra (Lisboa)
Tél. : (01) 929.01.70 - Sr A. Pereira

Ouverture toute l'année
7 chambres et 2 appart. avec s.d.b. et w.c.
Prix des chambres : 6 500/13 000 Esc (double)
Prix du petit déjeuner et horaire : compris - 8 h 15/11 h
Chiens admis
Cartes de crédit acceptées
Piscine - Sauna - Gymnase à l'hôtel
Possibilités alentour : Plage à 8 km - Golf - Equitation et tennis à
10 km environ
☐ Pas de restaurant

La sierra de Sintra est un petit massif montagneux qui se termine dans l'Atlantique. Dans les villages, pris entre la mer et la montagne, le climat est très doux, la lumière très belle. Quelques quintas se sont converties en petits hôtels plus proches en fait d'une maison d'hôtes. Leur charme est indéfinissable.

La quinta da Capela, reconstruite au XVIIIe s. à flanc de coteaux, a une vue superbe sur les collines et les châteaux de la Pena et de Montserrate.

Le raffinement de la maison est assez exceptionnel. Pas de bar, pas de restaurant mais vous pourrez vous servir un verre dans le salon ou prendre un repas léger. Les chambres sont exquises : des meubles anciens, des draps en fil, des salles de bains très confortables.

Très agréables aussi les deux appartements dans des maisons voisines pour deux ou quatre personnes avec un jardin privé. Pour les amoureux du charme.

☐ Itinéraire d'accès : *à 28 km de Lisboa - chemin de Montserrat.*

Quinta de São Thiago

2710 Sintra (Lisboa)
Tél. : (01) 923.29.23 - Télex 15540 - S^{ra} M. T. Braddeil
Ouverture toute l'année
10 chambres avec s.d.b. et w.c.
Prix des chambres : 9 000 / 10 000 Esc (double)
13 000 / 15 000 Esc (suite)
Prix du petit déjeuner et horaire : compris - 8 h / 12 h
Chiens admis
Cartes de crédit acceptées
Piscine - Tennis et criquet à l'hôtel
Possibilités alentour : Promenade - Equitation

□ Restaurant : *service 12 h / 14 h - 20 h / 24 h*
Spécialités : Cuisine « maison », régionale et internationale

La quinta de São Thiago étend ses longs bâtiments blancs sur les pentes douces des collines de Sintra. Entourée d'un bois de pins et d'eucalyptus, on a, du jardin et de la piscine, une vue superbe sur la campagne.
Là encore c'est le charme qui prévaut : charme des nombreux pots de terre cuite qui entourent la fontaine, charme des châles qui recouvrent les tables, charme de la bibliothèque où les rayonnages de livres tapissent les murs, charme du salon de musique...
Il n'y a pas de restaurant mais si vous le demandez, on vous servira un dîner dans la jolie salle à manger ou bien on vous préparera un barbecue dans le patio.
Quant aux chambres, elle sont à l'image du charme de la maison...

□ Itinéraire d'accès : *à 28 km de Lisboa - Sintra, route de Montserrat - entre l'hôtel Seteais et le parc de Montserrat.*

Palacio de Seteais

2710 Sintra (Lisboa)
Rua Barbosa do Bocage, 8
Tél. : (01) 923.32.00 - Télex 14410 - Sʳ J. P. Clemente

Ouverture toute l'année
18 chambres dont 4 suites avec tél. direct, s.d.b. et w.c.
Prix des chambres : 17 000 Esc (sple) - 18 000 Esc (dble) - 25 000 (ste)
Prix du petit déjeuner et horaire : compris - 8 h/11 h
Chiens non admis
Cartes de crédit acceptées
Centre hippique dans la propriété
Possibilités alentour : Golf Estoril Sol - Plages (10 km) - Tennis
☐ Restaurant : *service 12 h 30/14 h 30 - 19 h 30/21 h 30 (piano)*
Menu : 2 900/3 200 Esc
Spécialités : Cuisine française avec quelques spécialités portugaises
Fruits de mer sur demande

Est-ce la douceur du climat, est-ce l'aristocratie ou l'intelligentsia portugaise qui ont insufflé à Sintra tant de charme...
Que ce soit dans les *quintas* ou dans le Palacio de Seteais, on retrouve dans le décor, dans l'accueil, dans le service, une qualité qui crée une atmosphère unique.
Magnifique exemple de l'architecture du XVIIIᵉ s., le palais de Seteais fut construit pour un consul hollandais. Plus tard, le marquis de Marialva y donna de fastueuses fêtes et réunit les deux bâtiments néo-classiques par un arc de triomphe commémorant la venue du roi.
Aujourd'hui l'hôtel est une succession de salons plus raffinés les uns que les autres : le « salon noble », le « salon Pillement », le « salon-bar » et le « salon-restaurant » sont tous décorés de meubles et de fresques du XVIIIᵉ s.
La terrasse et les jardins qui dominent la ville sont un autre enchantement.
Pour les esprits raffinés et les romantiques récalcitrants...
☐ Itinéraire d'accès : *à 28 km de Bilbao - à 1,5 km de Sintra sur la route de Colares - Montserrat.*

Pousada São Bento

4850 Vieira do Minho (Braga)
Tél. : (053) 571.90 - Télex 32339 - Sʳ S. da Mesquita

Ouverture toute l'année
18 chambres avec tél., s.d.b. et w.c.
Prix des chambres : 8 600 Esc (simple) - 9 750 Esc (double)
Prix du petit déjeuner et horaire : compris - 8 h/10 h 30
Chiens non admis
Cartes de crédit acceptées
Piscine et tennis à l'hôtel
Possibilités alentour : Chasse - Pêche - Promenades en montagne

☐ Restaurant : *service 12 h 30/14 h 30 - 19 h 30/21 h*
Menu : 1 650/2 530 Esc - Carte
Spécialités : Bacalhao - Rojoes - Truites

La pousada de São Bento se trouve dans le Parc National de Peneda Gerẽs où sont protégés des vestiges archéologiques, une flore et une faune d'un grand intérêt. L'hôtel occupe une magnifique situation au-dessus du rio Caldo et de ses rives boisées.
C'est une belle bâtisse en pierre et en bois qui sera bientôt entièrement recouverte de vigne vierge. A l'intérieur on a réussi à créer une ambiance de montagne très raffinée. Le salon, la salle à manger s'ouvrent largement sur la nature. Les chambres sont rustiques mais d'un grand confort (les chambres 4, 6, 8 ont une belle vue).
La piscine, le calme, la beauté du paysage, tout s'accorde pour que votre séjour soit réussi.

☐ Itinéraire d'accès : *à 34 km de Braga - N 103 dir. Chavez.*

Estalagem de Boega

4920 Gondarem (Vila Nova da Cerveira)
Tél. : (051) 952.48 - Sʳ F. Amorim

Ouverture toute l'année
43 chambres dont 4 suites avec s.d.b., w.c.(4 avec tél.)
Prix des chambres : 3 500 Esc (simple) - 4 000 Esc (double)
4 500 Esc (suite)
Prix du petit déjeuner et horaire : compris - 8 h / 10 h 30
Chiens admis
Cartes de crédit non acceptées
Tennis - Squash - Piscine à l'hôtel
Possibilités alentour : Promenades en campagne

☐ *Restaurant : service ponctuel 13 h 30 - 20 h 30*
Fermeture dimanche soir et lundi
Menu : 1 250 Esc
Spécialités : Vitela asada - Bacalhao a Boega - Desserts

C'est vraiment une bonne idée que de transformer ces
anciennes propriétés rurales en petits hôtels familiaux. On y
retrouve tout le parfum et la chaleur du Portugal.
De style traditionnel, l'architecture de l'estalagem de Boega
s'intègre bien à la nature environnante. Le confort, les
équipements modernes ne sont pas pour autant négligés : il y
a un salon de télévision et de vidéo, les chambres sont bien
équipées et une superbe piscine est installée dans le jardin. Le
charme n'est pas oublié : cheminée décorée d'azulejos,
plafond en bois, des chambres séduisantes avec quelquefois
des terrasses (chambres nº 12 et 13) ou très romantiques
comme la « chambre nuptiale » (celles de l'annexe sont
moins charmantes).
Tous les samedis soir, après le dîner, l'hôtel organise une
soirée fado.

☐ Itinéraire d'accès : *à 100 km de Porto - à 4 km de Vila Nova da
Cerveira par N 13.*

Pousada Santa Marinha

4800 Guimarães (Braga)
Tél. : (053) 41.84.53 - Télex 32686 - Sr B. Lopez

Ouverture toute l'année
55 chambres dont 4 suites avec tél., s.d.b., w.c.
(34 avec minibar, t.v. sur demande)
Prix des chambres : 11 450 Esc (simple) - 13 100 Esc (double)
17 500/24 000 Esc (suite)
Prix du petit déjeuner et horaire : compris - 7 h 30/10 h
Chiens non admis
Cartes de crédit acceptées
Possibilités alentour : Piscine - Tennis à Guimarães - Chasse - Pêche

☐ Restaurant : *service 12 h 30/14 h 30 - 19 h 30/22 h 30*
Menu : 1 800/2 400 Esc
Spécialités : Toucinho do ceu

Santa Marinha passe pour être la plus belle pousada du pays.
Elle occupe, sur les collines de Guimarães, un ancien
couvent fondé en 1154 par don Alfonso Henriquez, premier
souverain portugais, mais les bâtiments actuels datent d'une
période allant du XVe au XVIIIe s.
L'ensemble est superbe, l'architecture se parant partout et
toujours de ces sublimes azulejos. De la salle capitulaire part
un immense corridor voûté qui mène aux chambres et qui
débouche sur une grande terrasse appelée le « balcon de
Géronimo » donnant sur les jardins... une merveille.
Les chambres sont aménagées avec beaucoup de goût, mais
les suites sont encore plus belles. On se devait, pour réussir
un sans faute, de servir dans les trois magnifiques salles à
manger une cuisine réputée. Pari gagné.

☐ Itinéraire d'accès : *à 49 km de Porto - N 14 Famalicão - N 126 -*
Guimarães.

Pousada Santa María de Oliveira

4801 Guimarães (Braga)
Largo de Oliveira
Tél. : (053) 41.21.57 - Télex 32875 - S^{ra} D. Costa

Ouverture toute l'année
16 chambres dont 6 suites avec tél., s.d.b. et w.c.
Prix des chambres : 8 600 Esc (simple) - 9 750 Esc (double)
13 100 Esc (suite)
Prix du petit déjeuner et horaire : compris - 8 h/10 h 30
Chiens non admis
Cartes de crédit acceptées

☐ Restaurant : *service 12 h 30/15 h - 19 h 30/22 h 30*
Menu : 1 700/2 300 Esc - Carte
Spécialités : Arroz con frango - Lenguado don Alfonso

Guimarães est un peu le berceau du Portugal. Alphonse VI,
souverain de León et de Castille, légua à son gendre Henri de
Bourgogne le comté de Portucale. Celui-ci s'installa dans la
tour de Guimarães. A sa mort, son fils Alfonso Henriques se
révolte contre la régence de sa mère, s'empare du pouvoir,
bat les Maures et se fait proclamer premier roi du Portugal en
1143.
La pousada se trouve en plein centre historique de la ville,
dans un ancien manoir seigneurial. On a partout préservé et
respecté le style original de la maison. Une délicieuse salle à
manger s'ouvre l'été sur la terrasse ombragée qui donne sur
une très jolie place.
Le même charme règne dans les chambres, mais nous vous
recommandons les suites qui donnent sur la place ou sur la
ruelle avoisinante.
L'hôtel organise des semaines gastronomiques et possède une
très bonne cave.

☐ Itinéraire d'accès : *à 49 km de Porto - N 14 - Famalicão - N 126 -*
Guimarães.

Pousada São Teotónio

4930 Valença do Minho (Viana do Castelo)
Tél. : (051) 222.52 - Télex 32837 - Sr A. Rolim

Ouverture toute l'année
15 chambres dont 1 suite avec tél., s.d.b. et w.c.
Prix des chambres : 8 600 Esc (simple) - 9 750 Esc (double)
13 100 Esc (suite)
Prix du petit déjeuner et horaire : compris - 7 h 30/10 h 30
Chiens admis
Cartes de crédit acceptées
Possibilités alentour : Plage sur rivière (2 km)
Plages sur Océan (28 km) - Pêche

☐ Restaurant : *service 12 h 30/15 h - 19 h 30/22 h*
Menu : 1 700/2 300 Esc - Carte
Spécialités : Poissons de rivière - Salmon - Bacalhao da pousada

Valença do Minho est un village très touristique. Dominant la rive gauche du Minho, il fait face à la ville espagnole de Tuy.
C'est une ville fortifiée constituée par deux places fortes reliées par un seul pont. Les restaurants, les boutiques ont envahi les ruelles de la vieille ville.
L'auberge São Teotónio est située à l'intérieur de l'ensemble fortifié. Du salon et de la salle à manger on aperçoit l'autre rive du Minho et la ville galicienne. Les chambres, bien qu'un peu démodées dans leur décoration, sont très confortables. Les chambres 1, 4, 5, 6 et 11 ont des terrasses ou des balcons donnant sur les jardins et les remparts. Bonne cuisine familiale. Ambiance sympathique.

☐ Itinéraire d'accès : *à 122 km de Porto - N 13 - face à la frontière espagnole.*

Hotel Santa Luzia

4900 Viana do Castelo
Tél. : (058) 221.92 - Télex 32420 - Sʳ V. Seabra
Ouverture toute l'année
47 chambres avec tél., s.d.b. et w.c.
Prix des chambres : 5 500 Esc (simple) - 7 000 Esc (double)
9 900 Esc (suite)
Prix du petit déjeuner et horaire : compris - 8 h / 10 h
Chiens admis
Piscine et tennis à l'hôtel
Possibilités alentour : Plages (7 km) - Promenades en forêt
☐ Restaurant : *service 12 h 30 / 15 h - 19 h 30 / 22 h*
Menu : 1 700 / 2 300 Esc - Carte
Spécialités : Caldeirada de anho - Caldo verde
Bacalhao a Santa Luzia

L'hôtel se trouve sur la colline de Santa-Luzia, qui est en quelque sorte le belvédère de Viana do Castelo. On y accède soit par le funiculaire, soit en voiture par une jolie route pavée qui grimpe, en lacet, entre les pins, les eucalyptus et les mimosas. On a de l'hôtel un magnifique panorama sur la ville, sur l'estuaire de Lima et sur les immenses plages de l'Océan.

L'intérieur est surprenant car on ne s'attend pas à trouver une décoration de style contemporain, qui est par ailleurs très réussie. Le mobilier, conçu spécialement pour l'hôtel, est parfaitement adapté aux vastes espaces intérieurs. De grandes verrières et une belle terrasse permettent de profiter de la vue. Les chambres sont modernes et très confortables, le service impeccable, la cuisine et la cave excellentes.

☐ Itinéraire d'accès : *à 70 km de Porto - N 13 dir. Espagne - Viana do Castelo - Santa Luzia 6 km.*

Pousada Dom Dinis

4920 Vila Nova de Cerveira (Viano do Castelo)
Tél. : (051) 956.01 - Télex 32821 - Sr A. Ferreira

Ouverture toute l'année
29 chambres dont 3 suites avec tél. direct, s.d.b., w.c.
(11 avec minibar)
Prix des chambres : 10 450 Esc (simple) - 13 100 Esc (double)
26 150 (suite)
Prix du petit déjeuner et horaire : compris - 8 h/10 h
Chiens non admis
Cartes de crédit acceptées
Possibilités alentour : Piscine - Tennis (4 km) - Plage (12 km)
Chasse
☐ Restaurant : *service 12 h 30/14 h 30 - 19 h 30/21 h 30*
Menu : 1 900/2 500 Esc - Carte
Spécialités : Cuisine portugaise

Sur les rives du fleuve Minho, la pousada a été construite comme un petit village à l'intérieur des remparts et des tours du château moyenâgeux de Vila Nova de Cerveira. Un calme absolu règne dans cet espace clos et protégé.
On trouve dans toutes les pièces des signes évidents de bon goût. Les chambres sont spacieuses, bien meublées, bien équipées et toutes ont une terrasse. (La suite n° 6 possède même un jardin.) On peut se promener sur les chemins de ronde d'où l'on a une belle vue sur le fleuve, la campagne et la ville.

☐ Itinéraire d'accès : *à 100 km de Porto - N 13 dir. Espagne.*

Pousada de São Pedro

2300 Tomar (Santarém)
Castelo do Bode
Tél. : (049) 381.59 - Télex 42392 - Sr M. Pereira

Ouverture toute l'année
16 chambres avec tél., s.d.b. et w.c.
Prix des chambres : 6 500 Esc (simple) - 7 500 Esc (double)
10 600 Esc (suite)
Prix du petit déjeuner et horaire : compris - 7 h 30 / 10 h 30
Chiens non admis
Cartes de crédit acceptées
Possibilités alentour : Sports nautiques sur le lac - Le couvent de
Tomar

☐ *Restaurant : service 12 h 30 / 15 h - 19 h 30 / 22 h*
Menu : 1 600 / 2 100 Esc - Carte (en été)
Spécialités : Cabrito assado - Poissons de rivière

Situé entre Tomar et Constancia, au-dessus du barrage de Castelo de Bode, l'hôtel est un endroit privilégié pour la pêche et la pratique des sports nautiques.
Ne vous laissez surtout pas décourager par l'aspect banal de l'extérieur. L'intérieur est un vrai enchantement : la petite salle à manger offre une vue panoramique sur le barrage, tout comme la terrasse et la plupart des chambres. Celles-ci sont simples mais confortables, qu'elles soient dans le bâtiment principal ou dans l'annexe.
Le salon blanc décoré de céramiques, de cuivres, de plantes vertes est aussi tout à fait charmant.
La pousada São Pedro est de surcroît bien placée pour rayonner dans cette région du Portugal qui a un grand intérêt historique et artistique.

☐ Itinéraire d'accès : *à 14 km de Tomar - route N 110 dir. Entronça-mento - à 6 km prendre N 358 en dir. de Castelo do Bode.*

Quinta de Santo André (São Jorge)

2600 Vila Franca de Xira (Lisboa)
Estrada Monte Gordo
Tél. : (063) 22.143 - S^res I. Y. K. Brumm

Ouverture toute l'année
8 chambres avec s.d.b. et w.c.
Prix des chambres : 3 000 Esc (simple) - 6 000 Esc (double)
Prix du petit déjeuner et horaire : compris - à partir de 9 h
Cartes de crédit non acceptées
Piscine et centre équestre à l'hôtel
Possibilités alentour : Promenades à cheval

☐ Restaurant : *service 20 h/21 h*
Menu : 1 000 Esc
Spécialité : Cuisine régionale

En pleine campagne, noyée dans la verdure, on repère très vite cette belle maison au crépi fuschia et dont la façade du dernier étage est recouverte de tuiles ocres.
Dans la propriété on a installé un centre équestre très bien organisé (promenades et manège). Mais pour ceux qui sont moins tentés par l'équitation, la piscine permet de passer d'agréables après-midi.
L'ambiance est très familiale et très « gentleman farmer »...
On dîne autour d'une grande table d'hôte entre amis et on se retrouve dans le salon, autour d'un feu de cheminée.
Les chambres sont accueillantes, charmantes et confortables.
A 30 km de Lisbonne, un petit détour par Vila Franca de Xira permet de connaître la campagne portugaise sans aller trop loin.

☐ Itinéraire d'accès : *à 30 km de Lisboa - Estrada Monte Gordo - suivre fléchage ou demander la quinta des Alemanes.*

Index

Y

dans la même collection

COLLECTION DIRIGEE PAR MICHELLE GASTAUT

Plus de 250 adresses qui ont en commun le charme, la gentillesse de l'accueil, une situation souvent exceptionnelle et des prix raisonnables.

Prix : 55 F

Du plus simple et familial au plus luxueux et raffiné. 150 adresses d'auberges ou d'hôtels qui incarnent le charme de l'Italie.

Prix : 65 F

Achevé d'imprimer
le 17 avril 1987
sur les presses
de l'imprimerie «La Source d'Or»
63200 Marsat
pour le compte
des Editions Rivages
5, rue Paul-Louis-Courier - 75007 Paris
et 10, rue Fortia - 13001 Marseille
Dépôt légal 2e trimestre 1987
Imp. n° 2856